KB075731

일어나는 이야기

생성과 정보의 철학

일어나는 이야기

생성과 정보의 철학

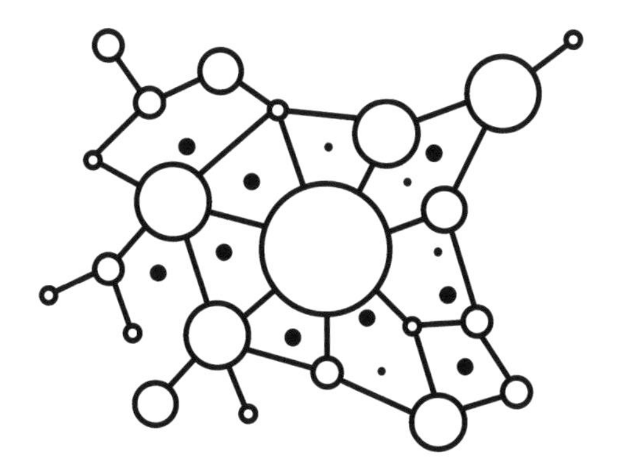

BOOKK

이 이야기의 시작인
아버지 어머니께

머리말

이 책은 일과 이야기가 어떻게 같이 일하고 있는지에 대한 내용을 주로 다루고 있다. 사실 누구나 이 둘을 함께 활용하는 것에 대해 잘 알고 있는데, 동물들에게서도 마찬가지로 이 사실을 쉽게 확인할 수 있다. 초원에서 갓 태어난 새끼 기린은 한 번도 경험하지 못한 상황에서도 꾸물거리고 있을 여유가 없다. 주위에서 일어나는 일들의 이야기 속에서 자신이 해야 할 이야기를 실행해야 하고 또 그렇게 할 수 있다.

일과 이야기의 관계는 이렇게 아주 밀접하고 본능적일 수 있다. 인간이 이야기를 잘 활용하는 것은 맞지만, 이야기는 언제 어디서나 만들어지고 쓰이고 있다. 이 책에서는 일과 이야기의 관계를 물질을 포함한 모든 영역으로 확장해서 살펴볼 것이다.

또 하나의 요점은 일어나는 일에 포함된 내용들이 일을 떠나서 그 자체로 존재하는 것도 아니고, 그렇다고 순간적으로 나타났다가 그냥 사라지는 것도 아니라는 것이다. 일에서 구분되는 내용들은 그 특징을 가지고 나타났다가 다음 일에 변형되어 쓰일 수 있다. 물리적인 내용뿐만 아니라 생각이나 감정 같은 내용도 마찬가지다. 물질이든 생명이든 일에서 내용이 쓰이는 방식은 같지만, 내용과 연결의 다양성으로 인해 여러 가지 다른 일들이 일어나게 된다는 것이 이 책의 중요한 주장들 중 하나이다.

'일어나는 이야기' 라는 제목은 세 가지의 의미를 담고 있다. 하나는 세계에서 일어나는 일들에 대한 정보와 평가로서의 이야기다. 인류의 역사는 이야기로 남아 있다. 사람들이 만들어온 수많은 이야기들과 이론들이 있으며, 다가올 미래에 대한 불확실한 이야기들이 있다.

다른 하나는 우리가 예상하거나 원하거나 일어날 수 있는 이야기들이 실제로 일어난다는 의미이다. 이 글을 쓰고 있는 중에도 어떤 말을 써야 할지 조금은 혼란스러운 생각들 속에서 더듬거리며 한 자 한 자 쓰고 있다. 한편으로는 예상과는 많이 다른 일들이 일어나기도 한다.

마지막으로 이 책을 통해 전하고 있는 하나의 철학 이론을 말한다. 이 이론에서는 세계를 일과 이야기, 다르게 표현하자면 생성과 정보로 설명하고자 한다. 다양하고 많은 일들에서 나타나는 형식적인 공통점을 찾아내고자 한 시도로서 이 책을 쓰게 되었다.

형이상학은 현 시대에서 시대착오적인 것으로 여겨진다. 어쩌면 철학 자체를 과학과 기술의 시대에 시대착오적인 것으로 생각할 수도 있다. 사실 역사적으로 형이상학, 종교, 이데올로기 같은 거창한 이야기들이 일으킨 현실착오적인 행태들이 많이 있었다. 20세기는 이런 거창한 이야기들이 인간의 삶에 도움이 되지 않을 뿐만 아니라 오히려 해가 된다는 인식을 많은 사람들이 공유하는 시대였다. 치명적인 상처를 입힌 경험은 본능적인 거부 반응을 이야기로 남긴다.

과학 또한 현실에 대한 거창하고 진지한 이야기에 속하고 많은 문제점을 지적받고 있지만, 위의 세 이야기 유형을 대체해서 사람들의 지지를 얻어 왔다. 그것은 과학이 보여준 '잠정적인 신뢰'를 바탕으로 한 자체 검증 절차가 다른 거창한 이야기의 행태와는 달랐기 때문이다. 그 성격은 민주적인 시민사회의 제도적인 절차와도 닮아 있다. 현 사회에서 과학 이론과 사회 제도는 사람들의 잠정적 지지 속에서 그 역할을 수행한다. 그렇기 때문에 이들에 의한 삐걱거림은 과학과 사회 제도 자체의 문제가 아니라, 현재 주된 역할을 수행하는 그 과학과 제도에 국한된 잠정적인 문제로 여겨지는 것이다.

과학 또한 많은 문제점을 안고 있다고 해도 이런 잠정적인 성격은 철학, 종교, 사상들이 배울 필요가 있다. 이야기는 지혜로운 안목이 될 수도 있고, 고집스러운 선입견이 될 수도 있다. 상상의 이야기가 아닌 현실 세계에 대한 이야기는, 복잡한 현실의 진행 상황을 전체적으로 조망할 수 있는 시야를 제공한다. 그러나 그런 잇점과 함께 시야에서 사라지게 된 중요한 사항들이 있을 수 있다는 점을 인정하고 고쳐 나가야 한다.

한편으로 잠정성을 적극 받아들인다 해도 신뢰의 문제 역시 소홀히 할 수 없다. 초원의 새끼 기린처럼 우리에게 주어진 상황들도 꾸물댈 수 있는 시간의 한계가 있다. 오류는 가능한 한 줄여야 하지만 시기를 놓치면 상황은 되돌릴 수 없게 악화될 수 있다. 우리에게는 신중하면서도 날카로운 판단이 필요하다.

인간이 추상적인 언어를 사용해서 적극적으로 이야기의 세계를 끌어들이는 이상 형이상학적인 질문들은 피해 갈 수 없다. 그것은 거부하거나 무시해도 사라지지 않고 모호한 채로 사회 속을 떠돌며 일한다. 실험에 철저한 과학자의 책을 읽더라도 그가 어떤 기초적인 질문에 대해서 고민하고 있거나, 어떤 확인하기 어려운 주장을 신뢰하고 있음을 알 수 있다. 철학적인 질문을 싫어하는 사람도 자기만의 삶의 방식에 대한 이야기를 쏟아낼 때가 있다. 추상적인 사고의 여백에는 배경을 이루고 있는 흐릿한 색채들이 있다.

이 책에서는 우리 시대에 깔려 있는 흐릿한 사고의 흩어진 배경들을 좀 더 명확한 이야기로 드러내면서, 연결된 이야기로 단순화해서 검토하려 했다. 이 이야기는 형이상학적이지만 우리 경험에 대한 이해와 실천을 지향한다. 20세기의 철학자 화이트헤드와 들뢰즈는 현 시대에도 형이상학적이면서 경험적인 철학이 필요하고 또 가능하다는 것을 잘 보여줬다. 이들은 경험을 새로운 생성으로 보고 세포나 사물의 존재 방식으로까지 확대하면서, 무의식적이고 기초적인 생성에서 의식적이고 거시적인 경험이 어떻게 발생할 수 있는지 보여주었다. 나는 두 위대한 철학자들의 작업을 참고하면서 조금은 다른 생성의 존재론을 구성해 보고자 노력했다.

전공이 아닌 철학 공부를 화이트헤드의 책들을 읽으면서 시작하게 되었다. 철학적 기초가 없는 상태에서 그의 어려운 이론들을 흡수하다보니, 각인 효과처럼 내 철학적 사고의 구석구석 화이트헤드의 흔적을 찾아볼 수 있다. 일일이 언급할 수 없을 만큼 많은 영향을 받았다는 점을 미리 밝히고, 대신 본문에서 그의 어려운 개념들을 직접 끌어들이는 일은 피하고 있다.

화이트헤드의 철학뿐만 아니라 이 책에서 제시하는 생성에 대한 이론과 연결고리가 많은, 들뢰즈의 철학과 불교 철학으로부터의 영향과 비교가 필요한 사항들도 본문에서 거의 다루지 않고 있다. 이 자리에서 한 가지만 언급하자면, 생성을 종료한 과거의 일들이 현재에 영향을 미치는 방식에서 이 책의 주장은 셋 중에서 불교 철학에 더 가까운 것으로 생각된다. 화이트헤드는 생성을 마친 존재의 객체적 불멸성으로, 들뢰즈는 베르그손을 인용하며 제시하는 순수 과거의 개념으로, 지난 일들과 지금의 일이 종합된다고 말한다. 나는 지난 일들이 업이나 인연 같은 이야기로 남지만, 이어지는 일을 일으키면서 없어지는 불교 철학적인 방식으로 이 문제에 접근하였다.

영향 받은 이론들에 대해 일일이 언급하지 못하고 있다는 점과 여러 이론들과의 비교 검토를 되도록 하지 않았다는 점은 나의 능력 부족 때문이라고 할 수 있다. 각각의 이론들을 끌어들이면서도 여유 있게 내 주장을 펼칠 자신이 없었고, 어려운 개념들 속에서 허우적거리게 될 내 한계를 잘 알고 있었기 때문이다. 자세한 비교 검토를 하지는 못했지만, 연결될 수 있는 여러 이야기들을 각 단락의 뒤편에 덧붙여 놓았다. 이런 아쉬움 속에서 얻을 수 있었던 한 가지 효과는, 이 책의 내용은 철학적인 용어들에 익숙하지 않은 독자들에게도 어렵지 않게 다가갈 수 있을 것이라는 점이다.

이 책의 개념들은 '일'과 '이야기'처럼 되도록 직관적으로 다가갈 수 있는 익숙한 말을 썼고, 새로 제시되는 개념의 수도 줄이고자 노력했다. 분명 첫인상에서 친근한 느낌을 주는 것은 관계를 형성하는 데에 도움이 될 것이라고 기대한다. 그렇지만 첫인상을 믿고 친근하게 생각했는데, 알고 보니 영 딴판이라는 오해를 받을 수도 있겠다. 너무 친근한 철학 책은 쉽게 읽히는 만큼 쉽게 지나치게 된다. 독자의 생각과 부딪히는 부분이 거의 없기 때문이다. 그래서 철학자 니체는 자신을 망치를 든 철학자라고 했다. 이 책은 침 치료처럼 살짝 따끔하지만 건강한 자극을 줄 수 있는 그런 책이 되었으면 한다.

2024년 여름

김강현

차 례

4장. 생명과 마음 163

정선희

1장

철학과 세계

이야기 1. 시와 철학

나의 시가

나무와 새와 풀과 벌레의 가슴을 적셔주는 밥이 되려면

한참 멀다

- 김순일 「까칠한 모음과 자음이」 중에서 -

아기가 옹알이를 한다. 단 한 번 밖에 들을 수 없는 비밀의 노래처럼 한 마디도 놓칠 수 없어 귀를 쫑긋하게 한다. 소리 내기인지 말인지 노래인지 알쏭달쏭한 옹알이를 들으며 즐거운 상상을 더 한다. 옹알이를 통해 아기는 시인이 되고 천사가 되고 철학자가 된다. 나도 따라 옹알이를 흉내 내면서 아기와 서로 주거니 받거니 대화를 한다. 사실 대화 내용이 어떤 의미인지는 중요하지 않다. 아기와 서로 주고받는 이 순간의 느낌 자체가 잊히지 않는 의미로 남을 테니까.

막연한 생각을 어떻게 말로 표현해야 할지 어려움을 느낄 때가 많다. 시집이나 철학 책을 읽을 때, 그리고 시적 표현이나 철학적인 글을 쓸 때 언어의 혼란을 겪는다. 생각이 혼란스러울 때 일단 나오는 대로 두서없이 적어보면, 아기의 옹알이처럼 알쏭달쏭한 글이 나온다. 아기가 옹알이할 때 무슨 말이 하고 싶은지 아니면 그냥 소리 내는 것이 재미있는 건지 알 수 없지만, 꽤나 진지한 표정으로 알아 듣고 있는지 살펴보는 것만 같다.

시와 철학도 이런 옹알이들에서 출발한다. 옹알이들이 소리로 만들어지고 말이 되어 가는 도약들이 쌓이다 보면 한 편의 시와 철학이 되어 간다. 또 옹알이처럼 들리던 시와 철학이 어떤 의미로 도약하며 다가오는 순간들이 있다. 그렇게 작은 도약들을 같이 공감할 수 있기에, 시와 철학은 누군가에게 다시 새로운 의미로 다가간다.

처음부터 확실하고 습관적으로 다가오는 말들은 새로운 시, 새로운 철학이 되지 않는다. 시와 철학은 표현하기 힘든 것을 말에 담으려 한다. 그래서 뚜렷하지 않은 생각들과 느낌들을 더듬거리며 말의 모양을 만들어 간다. 시인과 철학자는 두 가지 지점을 함께 통과한다. 먼저 모호하지만 새로운 내용들의 영역을 탐색한다. 그리고 그 모호함 속에서 번뜩이는 느낌을 낚아채어 적당한 말에 잡아 두려 한다.

출발은 같이 했지만 시와 철학은 서로 다른 방향으로 나간다. 시인은 잡은 말을 다시 자유롭게 놓아주고, 철학자는 잡은 말을 다른 말들과 단단하게 이어간다. 그래서 시는 말들이 뛰어노는 자유로운 노래를 들려주고, 철학은 말들을 엮은 그럴듯한 이야기를 들려준다. 하지만 노자와 니체에서 볼 수 있듯이 시와 철학이 각자의 길을 가야만 하는 것은 아니다. 시에는 삶에 대한 통찰이 필요하고, 철학에는 자유로운 상상이 필요하다.

"

까칠한 모음과 자음이

김순일

까칠한 모음과 자음이 머리속에 시의 거푸집을 짓는다

저녁이면 바람나서 나갔던 시의 엉덩이가 펑퍼짐한 말떼를 데리고 돌아와 쿨쿨 잔다

황소 같은 파도가 몰려와 시의 볼기짝을 찰싹 찰싹 때린다

소금물의 새벽은 감감하다
모래알처럼 뒹구는 모음과 자음의 쭉정이를 아무도 거들떠보지 않는다

그래도 그 쭉정이가 너섬의 둥근 지붕 그늘에서 음습하게 자란 말떼보다는 시장바닥 사람들의 땀내에 가까이 있다

나의 시(詩)가
나무와 새와 풀과 벌레의 가슴을 적셔주는 밥이 되려면 한참 멀다*

"

*김순일, 『두 그루의 가시나무』 71쪽, 지혜, 2019.

이야기 2. 말의 의미

"시간"이라는 말보다 더 흔하고 친숙하게 사용하는 말이 있습니까? 아무도 내게 묻지 않는다면, 내 자신은 시간이 무엇인지를 알고 있습니다. 하지만 누군가가 내게 물어서 내가 설명해 주려고 하면, 나는 시간이 무엇인지를 모릅니다.

- 아우구스티누스 -

'철학이란 무엇인가?'

철학이 무엇인지 짧게 말하기는 어렵다. 물론 길게 말한다고 해도 어렵기는 마찬가지다. 철학자들마다 철학에 대해 이야기하는 바가 다른 것을 봐도, 이 질문이 쉽게 결론나지 않을 것임을 알 수 있다.

철학을 어떻게 명쾌하게 이해하고 설명할 수 있을까 생각하다 동물들의 철학을 떠올려 본다. 동물들에게도 철학이 있을까? 동물들에게 직접 물어본다면 대답을 듣기 어려울 뿐만 아니라 질문을 전달할 방법을 찾기가 어려울 것이다. 동물에게 이 질문을 성공적으로 전달한다면 그가 철학하고 있는 것을 확인한 것이나 다름없지 않을까.

그러나 이 질문을 전달하지 못한다고 해서 동물이 철학하지 않는다고 단정할 수는 없다. 우리는 개나 침팬지 같이 상당한 지능을 가지고 있는 동물들을 알고 있다. 특별한 훈련을 받지 않아도 그들은 소리나 몸짓에 담긴 의미를 이해하고 행동하곤 한다. 또한 훈련을 받는다면 꽤 많은 단어를 이해하고 활용할 수도 있다.

반려견들은 주인과 다른 사람을 구분하고 주인과의 친밀한 관계를 중요하게 생각하며 함께 산책하는 일을 즐긴다. 반려견은 분명 자신과 주위 환경과 사람에 대한 나름의 생각이 있다. 이때 반려견의 생각을 철학이라고 말할 수는 없더라도 개의 세계관이라고 말할 수는 있지 않을까. 동물들은, 적어도 포유류는 자신과 주위 환경에 대해 이해를 하고 그에 따라 살고 있다.

아우구스티누스가 『고백록』에서 시간이라는 말을 쉽게 쓰면서도 설명하기 어려워했던 것처럼, 우리는 철학이 무엇인지 설명하는 데에 많은 어려움을 느낀다. 그러나 철학에 대해 다른 사람들과 이야기할 수 있다. 정의하기는 어렵지만 이야기할 수 있는 이 상황은 어떻게 가능할까?

사람의 언어는 구체적으로 확인할 수 있는 물건이나 활동뿐만 아니라, 추상적이고 복합적이어서 어렴풋하게만 알 수 있는 것들도 '철학'처럼 간단한 소리나 모양에 잡아둘 수 있게 한다. 그리고 그런 언어를 공유하고 필요하다면 다시 만든다. 이런 언어활동에 철학의 의미가 담겨 있는 것은 아닐까. 동물들이 자기가 이해한 세계를 편리한 언어로 표현하고 전달할 수 있었다면 그들은 철학을 포함한 문화를 벌써 만들었을지도 모른다.

인공지능의 철학은 어떠한가?

점점 더 똑똑해지는 인공지능에게 철학에 대해 물어보면 명쾌하게 대답해 준다. 인공지능은 수많은 사람들이 남긴 언어를 학습하여, 사람보다 더 사람처럼 철학에 대해 이야기한다. 하지만 인공지능에게 철학에 대해 물어보는 것은 너무나 쉬운 질문 같다는 점에서 오히려 철학에 대해 잘 아는 건지 의문이 든다. 인공지능은 시간이나 철학에 대한 질문에도 난처해 하지 않는다.

우리가 아우구스티누스처럼 시간이나 철학에 대한 질문을 받게 될 때 느껴지는 당혹스러움, 그런 복잡한 심정이 철학의 의미를 포함하고 있는 것은 아닐까. 인공지능이 습관적인 언어로 된 철학을 잘 다룰 수 있을지 몰라도, 습관에 대한 의문과 거부라는 철학의 또다른 필요성을 느끼지는 못할 것 같다.

노자의 『도덕경』은 진리와 언어에 대한 경고로 시작한다. "말할 수 있는 도는 진정한 도가 아니고, 부를 수 있는 이름은 진정한 이름이 아니다." 노자는 언어와 언어로 표현된 진리가 확실한 것이 아니라고 말한다. 언어는 잡힐 듯하지만 정작 언어에 담긴 의미는 어느샌가 빠져나간다. 철학은 언어로 표현되고 전해진다. 그러나 언어에 담았다고 하기에는 철학은 어디서부터 어디까지인지 그 모습을 다 드러내지 않는다.

언어는 그 자체에 질문을 포함하고 있다. 질문하지 않는 언어는 그저 소리나 모양에 가까워진다. 인간은 철학이라는 말을 쓰면서 철학을 잘 알게 된 것이 아니라, 철학에 대해 질문하는 방법을 알게 된 것이다. 그래서 '철학이란 무엇인가?' 다시 묻고 생각한다. 우리가 잘 알고 있다고 생각하는 '일'과 '이야기'라는 말도 마찬가지다. 이 책에서는 '일은 왜 이어지고 달라지며 일어나게 되는가?', '이야기를 이해하고 활용하는 일은 어떻게 가능한가?' 같은 난처한 질문들을 거치면서 세계에 대한 새로운 이해를 시도할 것이다. 철학은 난처한 질문과 통쾌한 대답 사이에서 방황하기를 즐긴다.

"

시간이라는 것은 무엇입니까? 누가 그것을 쉽고 짧게 설명해 줄 수 있겠으며, 누가 그것을 말로 표현하거나 적어도 생각 속에서나마 이해할 수 있겠습니까? 하지만 우리가 대화 속에서 "시간"이라는 말보다 더 흔하고 친숙하게 사용하는 말이 있습니까? 우리는 "시간"에 대하여 말할 때에 그 의미를 분명하게 알고 있고, 다른 사람들이 시간에 대하여 말하는 것을 들을 때에도 그 의미를 분명하게 압니다.

그렇다면, 시간이라는 것은 무엇입니까? 아무도 내게 묻지 않는다면, 내 자신은 시간이 무엇인지를 알고 있습니다. 하지만 누군가가 내게 물어서 내가 설명해 주려고 하면, 나는 시간이 무엇인지를 모릅니다. 하지만 내가 자신있게 안다고 말할 수 있는 것은, 아무것도 지나가지 않는다면 과거의 시간은 존재할 수 없고, 아무것도 오지 않는다면 미래의 시간은 존재할 수 없으며, 아무것도 현존하지 않는다면 현재의 시간은 존재할 수 없다는 것입니다.*

"

*아우구스티누스, 박문재 옮김, 『고백록』 386쪽, CH북스(크리스천다이제스트), 2016.

이야기 3. 철학, 이야기를 엮는다

> 철학은 세계와 인간의 삶에 대한 근본 원리 즉 인간의 본질, 세계관 등을 탐구하는 학문이다. 또한 존재, 지식, 가치, 이성, 인식 그리고 언어, 논리, 윤리 등의 일반적이며 기본적인 대상의 실체를 연구하는 학문이다.
>
> - 위키백과 '철학' 중에서 -*

위키백과에서 '철학'을 검색하고 첫 머리에 나오는 정의를 보면 궁금했던 부분이 어느 정도 해소가 되고, 철학에 대해 알 것 같은 기분이 든다. 그러나 아래에 있는 자세한 설명과 연관된 단어들을 한동안 읽고 나면 다시 수만 갈래 길의 한복판에 서 있는 듯한 느낌을 받게 된다.

위키백과는 언어의 편리함, 언어의 한계, 그 속에 잡아 두고 싶은 세계의 모습, 그 모습을 알아내고 공유하려는 인간의 노력까지 잘 보여준다. 이용자가 스스로 더 나은 정의와 설명으로 바꿔가는 위키백과처럼, 우리는 한계를 인정하면서도 정의하는 일을 멈출 수 없다.

동물들의 삶에 대한 본능적인 이해에서 몇 걸음만 더 나아가면 철학이 시작될 수 있다는 생각이 든다. 그것은 단편적인 경험들과 생각들에서 보다 일반적인 생각들을 이끌어내는 일에서 시작된

*위키백과(한국) '철학' 항목의 첫 부분 (2023년 5월 검색)

다.

경험의 일반화에 대한 흥미로운 소설이 있다. 보르헤스의 단편소설 「기억의 천재 푸네스」의 주인공 푸네스는 제목 그대로 천재적인 기억력을 가지고 있지만, 조금씩 다른 것들의 공통점을 찾아내지 못한다.

"푸네스는 하루에 겪은 일을 모두 기억하기에 기억한 하루 일을 재구성하는 데에도 꼬박 하루가 걸린다. 포도 덩굴에 달린 모든 포도알과 포도줄기를 감지하고, 한 번 본 숲의 모든 나무와 각각의 나무에 달린 모든 나뭇잎을 기억한다. 그러나 푸네스는 서로 다른 개들을 '개'라는 말로 포괄할 수 있다는 사실을 좀처럼 이해하지 못하고, 거울에 비친 자신의 얼굴과 손을 보고 매번 놀라곤 한다."*

푸네스의 기억처럼 단편적인 경험들은 비슷할 수는 있지만 세세하게는 모두 다르다. 같은 사물이라도 순간순간의 모양, 움직임, 색깔, 냄새 등이 똑같지는 않다. 그렇기 때문에 동물들이 세세한 차이를 뛰어넘어 '먹이'나 '적'을 판단하는 것은 쉽지 않은 일이다. 때로는 경험한 적 없는 먹이나 적과 마주치기도 한다.

철학적 사고는 각기 다른 경험을 연결하여 단순하게 묶어서 이해하는 일에서 출발한다. 살면서 만나는 수많은 적과 동료, 먹이와 물, 환경과 이동, 짝짓기와 새끼 등에 대한 경험들을 서로 연결

* 보르헤스, 송병선 옮김, 단편소설 모음 『픽션들』 중 「기억의 천재 푸네스」에서 발췌 요약함, 민음사, 2011.

시켜 현재의 판단과 선택에 활용해야 한다. 이러한 삶과 세계에 대한 이해들을 엮어서 사용하고, 다른 이들과 공유하고 발전시킨다면 학문으로서의 철학에 가까워진다.

우리는 철학을 삶에서 얻은 경험들과 생각들을 이야기로 엮어서 활용하는 일로 정의하려 한다. 그리고 삶이 계속되듯이 새로운 경험과 이해도 도처에서 생겨나기에 철학도 계속 새로워져야 한다.

학문으로서의 철학은 이것을 다른 사람과의 소통을 통해 공동의 이야기를 만드는 작업이다. 우리는 항상 언어를 사용하기 때문에 개인적인 철학이라 해도 공적인 성격에서 벗어나지는 못한다.

그렇지만 학문으로서의 철학이 아닌 철학적 사고에는 반드시 인간의 언어가 필요한 것도 아니고, 어려운 용어와 논리가 필요한 것도 아니다. 의식적이지 않고 학술적이지 않은 철학적 사고도 뛰어난 능력이다.

배고픔을 느끼는 동물의 본능은 몸의 무의식적인 활동으로부터 발생하지만 철학적인 사고라고 할 만한 일반화가 필요하다. 배고픔은 에너지원인 혈액 속의 포도당의 양과 소화기에서 분비하는 호르몬의 양을 시상하부의 신경에서 감지하여 느껴진다. 여기에서 포도당과 호르몬 분자들이 신경에 감지되는 자극들이 개별적으로 분리되었을 때는 배고픔의 느낌을 만들지 못한다. 분리된 신경자극들(분리된 양)은 개별적인 데이터들이다. 그것들은 배고픔이라는 질적으로 다르면서 강약(통합된 양)이 있는 느낌으로 일반화하고 개념화하는 과정을 거쳐야만 배고픔이 발생한다.

다른 감각이나 본능의 무의식적 활동들도 비슷한 과정을 거쳐 일반화된다. 이런 활동들은 개별적인 경험들을 연결해서 활용한다는 앞선 철학의 정의에서 멀어 보이지 않는다. 학문으로서의 철학 또는 언어로 정의된 철학 이전에 활동으로서의 철학이 있다.

동물의 삶에서 자극에 대한 몸의 무의식적인 반응을 보통 본능이라고 한다. 본능은 주로 생존과 밀접하게 관련된 활동들로 의식 속으로 들어오기도 하지만, 의식을 거치지 않고 무의식적으로 처리되기도 한다. 배고픔의 예에서 봤듯이 무의식의 활동에도 정보를 일반화하고 변환하는 과정이 이루어진다. 단지 몸이나 마음의 무의식적 활동은 비슷한 자극에 비슷한 반응을 보이는 규칙화된 사고가 주로 이루어진다는 점에서 의식적인 사고 활동과는 차이가 있다.

의식적 활동에서도 규칙적인 면을 볼 수 있는데, 이것을 보통 습관이나 성격이라고 부른다. 그렇지만 습관과 성격은 본능보다는 다채로운 면이 있다. 새로운 환경이나 새로운 경험에서는 기존의 습관들에서 벗어난 새로운 반응이 필요해진다.

익숙하지 않은 글을 읽을 때도 마찬가지다. 철학적인 글을 읽고 쓰는 과정이 어려운 이유는 규칙적이고 습관적인 언어활동에서 벗어나는 면이 많기 때문이다. 이렇게 새로운 경험에 대처하고 새로운 글을 읽고 쓰는 어려운 일들을 할 수 있는 이유가 바로 습관적이지 않은 철학적 사고를 통해서이다.

인류가 쌓아온 학술적인 철학들은 추상적이고 심오하지만 그 시작은 현실적이고 실용적이다. 철학이 어려운 이유는 철학자들의 고민과 논쟁 끝에 도달한 세계관이 일상에서 비춰지는 세계의 모습과 달랐고, 그 새로운 생각을 새로운 언어로 표현해서일 것이다.

그러나 어려운 말들로 쌓아 놓은 철학의 성벽은 철학적이지 않다. 철학은 고립된 생각들, 고립된 삶, 고립된 세계를 이어주는 학문이기 때문이다. 철학의 본능적인 출발처럼 많은 사람들의 삶 속에서 철학이 작동해야 한다. 철학은 일들에서 반복되어 나타나는 엮여진 이야기들이다. 일에서 이야기가 나오고 다시 이야기가 일이 되기 때문에, 철학은 삶과 떨어질 수 없는 관계에 있다.

“

개가 동네를 활보하는 모습, 잔디 속으로 쉬지 않고 코를 킁킁거리다가 결국 작은 삑삑이 공을 찾아내고는 기쁨의 광채를 내뿜으며 주인에게 달려오는 모습을 볼 때면 삶은 괴로움이 아니라 자유임을 알 수 있다. 개라는 세상 가장 아름다운 모습으로 변신한 자유 말이다. …

공을 갖고 놀 때 보바는 그 공이 되고, 달리기가 되고, 움직임이 되고, 공을 잡고 던지는 그 행위가 되고, 파헤쳐진 땅이 되고, 헥헥거리는 숨이 되고, 순수한 기쁨 그 자체가 되고, 인간 친구의 손이 되고, 공에 묻은 침이 된다. …

공놀이는 하고 싶은 만큼 한다. 놀다보면 피곤해지거나 다른 것에 주의를 빼앗기는 때가 온다. 그럼 보바는 미련 없이 공을 떠난다. 그 순간은 바로 그 전의 순간과 다르니까. 무엇이 더 좋고 더 나쁜 게 아니라 다를 뿐이다.*

”

* 디르크 그로서, 프랑크 슐츠 그림, 추미란 옮김, 『우리가 알고 싶은 삶의 모든 답은 한 마리 개 안에 있다』 118~119쪽, 불광출판사, 2021. (보바는 작가의 반려견 이름이다.)

이야기 4. 철학의 욕심

철학이란 제한된 언어로 무한한 우주를 표현하려는 시도다.

\- 화이트헤드 -*

경험들과 생각들을 연결하고 간추려서 활용하는 것은 모든 학문에서 쓰는 방법이다. 철학이 다른 학문들과 다른 점은 어떤 간추린 생각의 의미를 계속 다시 묻고 또 다른 연관성을 찾아본다는 것이다.

공원에 산책을 나온 개를 바라보는 동물학자와 소설가와 법률가와 철학자의 생각은 다를 수 있다. 예를 들어 동물학자는 개의 본능과 사회성에 대해, 법률가는 반려견을 산책시킬 때에 지켜야 할 법 규정이 적절한지에 대해, 소설가는 반려견과 주인의 감동적인 우정의 이야기를, 철학자는 개의 인식과 사람의 인식의 차이에 대해서 떠올릴 수 있다.

철학자는 생각의 연결 범위를 무모할 정도로 넓게 확장한다. 동물과 사람과 감각과 언어의 문제를 서로의 연관 속에서 묶으려 한다. 철학자는 생각의 범위를 백과사전처럼 넓히면서도 주제를 단순하게 만든다. 예를 들어 바위와 생물과 삼각형이 뜬금없이 존재라는 이름으로 단순화되어 '존재는 무엇인가' 하는 질문 속에서

---

* A.N. Whitehead, 「Autobiographical Notes」 중에서
https://mathshistory.st-andrews.ac.uk/Extras/Whitehead_Autobiography/를 참조함.

같이 다뤄질 수 있고, 각각의 '여러 존재들은 어떻게 연결되는가' 라는 질문 속에서 같이 다뤄질 수도 있다. 그러다 갑자기 존재들에 대해 '인식하고 생각하는 것'에 대해 고민할 수도 있다.

이런 밑도 끝도 없는 질문들을 던지며 하고자 하는 일은 무엇일까? 철학자 화이트헤드는 "철학이란 제한된 언어로 무한한 우주를 표현하려는 시도"라고 했다. 철학은 삶과 세계에 대한 생각들을 가능한 한 넓게 연결하면서도 가능한 한 단순하게 표현하려 한다.

그래서 결국 다양한 삶의 경험들에 넓게 퍼져 있는 공통된 원리를 찾는 일이 된다. 적용 범위에서 최대한으로의 확장과 표현 방법에서 최소한으로의 압축이라는 두 역설적인 목표를 얼마나 효과적으로 달성하는지가 그 철학의 효율을 말해준다.

단순한 경험, 단순한 사실은 없다. 바로 눈앞에 나타나 있는 확실해 보이는 사물과 사건들도 고도의 감각작용을 거친 상상을 포함한 결과다. 또한 사물들과 사건들의 세밀한 연결고리는 우리에게 숨겨진 채로 보인다.

단편적인 정보들의 나열로 세계를 이해하려 하면, 정보의 과잉 속에서 정작 중요한 정보를 놓치기 쉽다. 습관적인 인식 또는 사고를 통한 해석 작업을 통해 다양한 경험들은 그 중요도에 따라 정리되고 강조되어, 우선 필요한 관심에 따라 세계를 볼 수 있게 된다.

과학에서 볼 수 있듯이 이렇게 이론을 만드는 작업에는 상상을 통한 가설의 수립이 포함된다. 철학은 과학과 달리 특정 분야에 한정된 가설이 아닌 보다 확장된 가설의 수립으로 나아간다.

철학도 주로 다루는 주제에 따라 여러 세부 분야로 나눌 수 있다. 존재론, 형이상학, 인식론, 윤리학, 논리학, 언어철학, 종교철학, 과학철학 등 다양한 분야가 있고 역사상 수많은 철학자들과 철학 이론들이 있었다.

그러나 누가 어느 주제에서부터 시작하더라도 철학의 연결 본능으로 인해 확장하면서 서로 만나게 된다. 설령 그 확장의 부당함을 주장하는 철학자라 하더라도, 확장의 한계 설정에 대한 주장이지 확장 방향에 대한 거부일 수는 없다.

왜냐하면 모든 '주장'은 일반화하여 적용하려 한다는 점에서, 이미 압축성과 확장성이 동시에 포함되어 있기 때문이다. 언어와 생각 자체에 압축성과 확장성이 포함되어 있다. 철학은 이 반대되는 성질을 최대한 효율적으로 활용하려 한다.

생각과 언어와 몸과 물질의 연결은 세계를 이어지게 만들지만, 그 이어지는 과정은 정확히 관찰되지 않는다. 이런 보이지 않는 연결은 철학적 상상력을 자극한다.

과학에서 이런 확인되지 않는 연결과정에 대한 설명은 일단 보류한다. 그래서 물리학과 생물학과 심리학은 과학적으로 매끄럽게 연결되어 있지 않다.

하지만 철학의 욕심은 여기에서 멈추지 않는다. 어렴풋이 경험할 수는 있지만 정밀하게 확인할 수는 없는 일들에 대해 그럴듯한 이야기를 들려주는 것, 이것이 철학이 아직 필요하고 철학을 찾는 이유이기도 하다.

삶은 언제나 안정적이고 확인된 것들과 함께 이해하기 어렵고 불확실한 것들과 마주치게 된다. 이에 따라 삶과 세계에 대한 언어와 이론 또한 언제나 불확실하고 불완전한 것이었다. 그러나 그 한계에서 포기하고 머물렀다면 지금도 수천 년 전과 비슷한 언어, 비슷한 생각을 가지고 살고 있을 것이다. 철학은 바로 이 불확실한 경계에서 다시 길을 찾는 생각의 모험이다.

“

북극 바다에 고기가 있는데 그 이름을 곤이라 하였다. 곤의 길이는 몇천 리나 되는지 알 수가 없다. 그것이 변하여 새가 되면 그 이름을 붕이라 하는데, 붕의 등도 길이가 몇천 리나 되는지 알 수가 없다. 붕이 떨치고 날아 오르면 그 날개는 하늘에 드리운 구름과도 같았다. 이 새는 태풍이 바다 위에 불면 비로소 남극의 바다로 옮아갈 수 있게 된다. 남극 바다란 바로 천지인 것이다. …

매미와 작은 새가 그것을 보고 웃으면서 말하였다.

“우리는 펄쩍 날아 느릅나무 가지에 올라가 머문다. 때로는 거기에도 이르지 못하고 땅에 떨어지는 수도 있다. 무엇 때문에 9만 리나 높이 올라 남극까지 가는가?”

가까운 교외에 갔던 사람은 세 끼니의 밥을 먹고 돌아온다 해도 배는 그대로 부를 것이다. 백 리 길을 가려는 사람은 전날 밤에 양식을 찧어 준비한다. 천 리 길을 가려는 사람은 석 달 동안 양식을 모아 준비한다.*

”

* 장자, 김학주 옮김, 『장자』 36~39쪽 제1편 「소요유」 중에서, 연암서가, 2010.

이야기 5. 함께 있음

사랑했던 우리

나의 너, 너의 나, 나의 나, 너의 너

항상 그렇게 넷이서 만났지.

사랑했던 우리

서로의 눈빛에 비춰진

서로의 모습 속에서 서로를 찾았지.

- 동물원 노래 「나는 나 너는 너」 중에서 -*

함께 있다고 하면 여러 구성원들이 모여 있는 상태를 먼저 떠올리게 된다. 할아버지와 할머니, 엄마와 아빠, 자녀들이 모여 있으면 가족이 되고, 학교에는 선생님과 학생들, 책상과 의자, 책과 칠판이 모여 있다. 여러 종류의 원자들이 모여 물질을 만들고, 여러 물질들이 모여 큰 물건들을 만든다. 땅과 바다, 공기와 생물들이 모여 있으면 생태계가 되고, 태양과 지구, 금성과 화성 등이 모이면 태양계가 된다. 이렇게 세계에는 여러 존재들이 모여 있고, 서로 가까이 만났다가 떨어지면서 여러 일들을 함께 만들어 가는 것처럼 보인다.

블록 놀이를 재밌게 하고 있는 어떤 아이가 있다. 아이에게는 많은 블록들이 함께 있다. 아이는 조금씩 모양이 다른 블록들을 이렇게 저렇게 쌓아보면서 마음에 드는 모양을 만들어 본다. 아이는

* 김창기 작사 작곡, 동물원 3집 노래 「나는 나 너는 너」 중에서.

여러 블록들과 함께 있고 각각의 블록도 다른 블록들과 아이와 함께 있다. 이때 블록들도 아이처럼 이 놀이를 재미있게 즐기고 있을까? 블록들에게 아이와 블록 놀이를 함께 함은 어떤 일일까?

함께 있음에는 구성원들이 모여 있음으로는 설명하지 못하는 측면이 함께 있다. 아이는 그 측면을 재미로 느끼면서 블록 놀이를 한다. 아이와 함께 블록 놀이에 참여하는 블록들은 아이와는 다른 상황에 있을 것이다. 블록들은 아이와 중력의 힘에 의해 위치를 바꾼다.

아이에게 재미를 주는 블록들의 배열이 블록들에게는 의미 있게 다가오지 못할 것이다. 그러나 블록에 가해지는 물리적인 힘들은 분명 블록에 전달되고 감지된다. 블록에게 함께 있음이란 원자들의 결합상태와 물리적인 힘들의 전달과 반응의 의미를 가질 것이다. 물질에게도 함께 있음은 그 나름의 의미가 있다. 주위 원자들의 배열과 힘의 교류에서 변화를 감지하고 반응한다. 공존은 구성원들에게 새로운 의미를 주지만 그 의미는 각각 다를 수 있다.

'세계는 원자들로 이루어져 있다', '생명체는 세포들로 이루어져 있다' 같은 말들은 틀린 말은 아니다. 그러나 이 말은 '벽돌집은 벽돌들로 이루어져 있다'라는 말처럼 허전하게 들린다.

여기에 충분히 많은 벽돌들과 재료들이 있다. 이 재료들이 그냥 쌓여 있을 수도 있고 멋진 집으로 있을 수도 있다. 이 둘 중에서 어느 쪽을 선택할까?

“

드디어 정문을 지나 정림사지 석탑을 향해 걸어간다. 한걸음 한걸음 다가가며 보이는 석탑의 전체 모습은 기대보다 더 아름다웠고, 가까이 갈수록 웅장한 느낌이 들면서 걸음마다 다른 탑이 되어 다가왔다. 백제가 이곳에 아직 생생하게 살아 있었구나!

어찌 보면 정림사지 석탑의 모양은 참 단순하다. 이런 단순함 속에 어떻게 저런 아름다움을 담았을까? 이 탑을 만든 백제의 장인들은 돌들을 이렇게 다듬어 쌓기까지 얼마나 많은 손길을 쌓고 또 쌓았을까? 내 삶과 내 이야기도 이 탑을 닮아가기를 바라 본다.

”

이야기 6. 하나일 수도 여럿일 수도 없는 세계

이것이 있기에 저것이 있고,
이것이 일어나므로 저것도 일어난다.
이것이 없기에 저것이 없고,
이것이 없어지므로 저것도 없어진다.

-「잡아함경」 335경 중에서 -

교통과 통신의 발달은 점점 더 넓은 지역을 하나의 생활권으로 만들고 있다. 지구 반대편에서 일어나는 일들은 더 이상 남의 일이 아니다. 가짜 사진 한 장에 전 세계의 주식 가격이 출렁거릴 수 있다. 극단적으로 브라질에 있는 어떤 나비의 날개 짓이 미국 텍사스에 토네이도를 일으킬 수 있다고 말하기도 한다.

그러나 나비효과는 극단적인 이론이 아니었다. 지구 한편에서 발생한 돌연변이 바이러스가 지구인의 삶의 방식을 바꾸는 데는 6개월도 채 걸리지 않았다. 코로나19 바이러스는 지구 전체가 가까이 이어져 있음을 원하지 않는 방식으로 보여주었다. 세계에는 분리된 여러 존재들과 여러 일들이 있지만, 그것들은 서로 얽히고 섥혀서 하나의 세계를 만든다.

머나먼 우주의 별빛들이 우리에게 다다르는 것을 보면 세계의 신비함을 느끼게 된다. 밤하늘의 별들을 바라보는 우리의 시야는 어디까지 뻗어 있을까? 철학자 칸트의 묘비에는 그의 책 『실천이성비판』의 한 구절이 쓰여 있다. "점점 더 큰 경탄과 외경으로 마음을 채우는 두 가지 것이 있다. 그것은 내 위의 별이 빛나는 하늘과 내 안의 도덕법칙이다."* 칸트는 밤하늘의 별들을 보면서 세계와 공존하는 신비에 대해 생각했던 것 같다.

만약 세계가 하나라면 내가 곧 세계이기 때문에 세계라는 말이 따로 필요하지 않을 것이다. 아니, 모든 말이 필요하지 않다. 말하지 않아도 알 수 있을 테니까. 세계가 하나라면 타인을 신경 쓸 일도 없고, 미래를 걱정할 필요도 없고 어떤 새로운 일이 일어날 이유도 없을 것이다. 반대로 세계가 여럿이라면 세계는 나와 별개의 것들이기 때문에 알 수도 없고, 마주칠 일도 없고, 어떤 말 어떤 짓을 해도 소용없을 것이다.

결국 하나인 세계와 여럿인 세계는 똑같이 무의미해진다. 세계가 세계일 수 있는 이유는 하나도 아니고 여럿도 아니기 때문이다. 바꿔 말해서 하나이면서 여럿이기 때문이다. 세계가 하나이면서 여럿인 역설적인 상황이야말로 존재하는 모든 것에 주어진 실존적인 상황이다. 나는 언제나 세계와 같아지지도 않고, 세계와 떨어지지도 않은 상황에 있다.

만약 우리가 신이라고 부를 수 있는 존재가 있다고 해도 그 역시 마찬가지다. 신이 세계와 같다면 내가 곧 신이기에 더 이상 신이라고 부를 이유가 없다. 신이 세계와 다르기만 해서는 신으로서 작용할 수 없기에 없는 것이나 마찬가지다.

---

* 칸트, 백종현 옮김, 『실천이성비판』 331쪽, 아카넷, 2019.

“

“함께”는 현존재적인 어떤 것이며, “똑같이”는 둘러보며 배려하는 세계-내-존재로서의 존재의 동일성을 의미한다. … 현존재의 세계는 공동세계이다. 안에-있음은 타인과 더불어 있음[공동존재]이다. 타인의 세계내부적인 자체존재는 공동현존재[함께 거기에 있음]이다.*

공동존재[더불어 있음]는, 타인이 한사람도 현사실적으로 눈앞에 지각되지 않을 때라도, 현존재를 실존론적으로 규정하고 있다. 현존재의 혼자 있음도 세계 안에 더불어 있음인 것이다. … 고유한 현존재는 오직, 그것이 더불어 있음이라는 본질구조를 가지고 있는 한에서 타인을 만나게 되는 함께 거기에 있음으로 존재하는 것이다.**

”

* 하이데거, 이기상 옮김, 『존재와 시간』 166쪽, 까치글방, 1998. ‘현존재’는 자신의 존재에 대해 질문하는 존재, 즉 인간을 뜻한다.

** 같은 책 168쪽.

이야기 7. 연결고리

우리가 서로 사랑해야 하는 이유는

세상의 강물을 나눠 마시고

세상의 채소를 나누어 먹고

똑같은 해와 달 아래

똑같은 주름을 만들고 산다는 것이라네

- 문정희 「사랑해야 하는 이유」 중에서 -*

봉준호 감독의 영화《기생충》에서 냄새는 빈부격차를 상징하기도 하고, 하루하루의 삶을 상징하기도 한다. 영화에서 냄새는 사회가 그은 선을 무시하고 침투하는데, 실제로도 냄새는 침투성이 강해서 마스크를 끼고 있어도 사이를 비집고 들어온다. 영화《기생충》은 공존과 경계에 대해서 생각해 보게 한다.

냄새는 여럿이면서 하나일 수밖에 없는 세계를 잘 보여주는 상징이다. 시각은 여럿으로 구분된 세계를 잘 보여주고, 소리는 세계의 순간적 변화를 잘 느끼게 하고, 맛은 나와 세계가 하나가 됨을 알려준다. 그런데 냄새는 저쪽에서 오면서도 직접 파고들어, 여럿이면서도 하나인 세계의 모호한 측면을 잘 느끼게 한다.

함께 있다는 것은 뭔가 연결고리가 있다는 것이다. 선을 무시하고 넘어가는 냄새처럼 잠시 동안에도 수많은 연결고리들이 언제

* 문정희, 시집『지금 장미를 따라』182쪽「사랑해야 하는 이유」중에서, 민음사, 2016.

어디서나 이어지고 있다. 눈에 보이지 않는 바이러스가 지구 반대편에 있는 두 사람의 연결고리가 될 수 있듯이, 그 연결고리는 우리가 알고 있는 방식일 수도 있지만 의식적으로 알아채지 못하는 방식일 수도 있다.

바이러스보다도 훨씬 작은 세계에서 일어나는 양자들의 얽히고설킨 사건들은 구분된 여럿으로 보였던 사물들도 마찬가지로 경계선을 시시각각 넘나드는 여럿이면서 하나인 세계라는 것을 알려준다.

나를 이루는 것들도 서로 다른 여럿이면서 하나이다. 몸의 각 부분들과 지난 기억들, 하루하루의 일상들은 각각 나눠져 있으면서도 이어져서 한 사람으로서의 나를 만든다. 세계와 존재들이 여럿이면서 하나일 수 있는 이유는 여럿을 서로 이어주는 일들이 계속 일어나기 때문이다.

몸의 여러 부분들을 한 번에 모두 이어서 하나의 전체로 만들 수는 없다. 수많은 사람들을 한 번에 하나로 연결시킬 수는 없다. 이 넓은 우주를 한 번에 모두 이을 수는 없다. 그러나 저기 먼 우주 어느 별에서 출발한 빛이 이어지고 이어지면서 내 눈에 들어오듯이, 작은 이음을 계속해 나가면서 하나의 세계를 만든다.

작고 여럿인 직접적인 이어짐이 계속되면서 모두가 간접적인 연결고리를 갖게 되면서 하나로서의 세계가 된다. 하나로서의 바위, 하나로서의 사람, 하나로서의 세계는 그 전체로 주어지는 것이 아니라 이어서 다시 만드는 것이다.

“

항상 직진하는 빛과 달리, 냄새는 확산되고 스며들고 넘치고 소용돌이친다. “핀이 새로운 공간에 코를 대고 킁킁거리는 것을 관찰할 때마다, 나는 나의 시각이 제공하는 명확한 경계를 무시하려고 노력해요. 대신 뚜렷한 경계가 없는 ‘희미하게 빛나는 환경’을 상상하곤 해요”라고 호로비츠는 말한다. “초점 영역이 존재하지만, 뭐랄까 모든 영역이 서로 스며든다고 할 수 있죠.” 냄새는 어둠을 통과하고, 모퉁이를 돌고, 그 밖의 악조건에서도 이동한다. … 냄새는 원천보다 먼저 도착함으로써 앞으로 일어날 일을 예고할 수도 있다.*

”

* 에드 용, 양병찬 옮김, 『이토록 굉장한 세계』 41~42쪽, 어크로스, 2023. (핀은 과학자 호로비츠의 반려견 이름이다.)

이야기 8. 시간도 흐르고 공간도 흐른다

> 모든 것은 흐른다.
>
> 우리는 같은 강물에 두 번 들어갈 수 없다.
>
> \- 헤라클레이토스 -

세계의 흘러감을 막을 수 없다는 것을 우리는 주로 시간의 진행으로 이해한다. 시간은 멈추지 않고 흘러간다. 시계를 멈춰도, 가만히 있어도 시간은 흘러간다.

붙잡을 수 없이 흘러가는 시간을 아쉬워하지만, 사실 시간이 흘러가도 다른 시간이 또 오기에 시간 자체가 아쉬운 것은 아니다. 다만 아쉬운 것은 다시 주어진 시간에서 여러 상황들이 달라져 있다는 것이다. 이어짐과 달라짐은 같이 다닌다.

공간은 자유롭게 움직일 수 있는데 시간은 한 방향으로 흘러간다고 생각하기 쉽다. 그러나 공간에서는 시간과 달리 마음대로 움직일 수 있다는 것은 착각이다. 지구는 드넓은 우주를 떠돌아다닌다. 떠다니는 배에 바다의 위치를 표시할 수 없듯이, 지구상의 위치는 흘러 다니는 배의 한 부분이다.

땅과 건물들을 만드는 입자들은 시시각각 서로 이어지며 달라지고 있다. 다행히 그 입자들의 달라짐이 특별한 일이 없는 한 일정 범위로 수렴해서 떠다니는 지구를 다시 재구성한다. 언제든지 다시 갈 수 있다고 생각하는 바로 옆 자리는 이미 그 자리가 아니다.

어렸을 적 매일같이 다니던 곳에 오랜만에 가보면 익숙함과 낯설음이 교차하면서 헤라클레이토스의 말에 공감하게 된다. 희미한 흔적 하나라도 다시 찾으려 미궁의 사건 현장을 찾은 수사관의 심정은 더 야속할 것이다.

세계에서 우리가 갈 수 있는 방향은 일어나는 방향 밖에 없다. 공간을 움직일 때도 그렇고 가만히 있을 때도 그렇다. 가만히 있어도 시간이 흘러가는 것을 느끼는 것은, 일어나는 방향으로 실제로 가고 있기 때문이다. 일어나는 방향이라는 것은 은유적인 표현이 아니라, 우리가 언제나 가고 있고 갈 수밖에 없는 방향인 것이다.

그나마 일어나는 방향들 가운데서 선택의 여지가 있지만, 그 선택의 결과는 먼저 있었던 그 자리가 아니라 항상 새롭게 만들어지는 자리다. 그래서 같은 강물에 두 번 다시 같은 발을 담글 수 없다.

일어나면서 함께 있고, 일어나면서 만나고, 일어나면서 생각하게 되고, 일어나면서 일하고, 일어나면서 달라진다. 모든 것이 흘러간다는 것은 일어나는 방향을 막을 수 없다는 것이다.

시간도 흘러가고 공간도 흘러가고 나도 흘러간다. 그래서 모든 일은 세계의 역사 속에서 대체할 수 없고 되돌아갈 수 없는 고유한 자리를 갖게 된다.

“

실재는 구체적인 이것 또는 저것으로 존재하는 개별적 실체가 아니라, 그렇게 실체화되거나 구체화되기 이전의 운동성 또는 활동성이라고 할 수 있습니다. 그것은 이것 또는 저것으로 규정되는 자기동일적 사물이 아니라, 매 순간 자기 아닌 것으로 변화하는 사건이며 과정이라고 할 수 있습니다. … 불교가 보는 세계는 사물 아닌 사건의 세계, 정지 아닌 변화의 세계이며, 따라서 우리의 일상적 논리 법칙이나 개념적 분별을 넘어선 세계라고 할 수 있습니다.*

”

* 한자경, 『마음은 어떻게 세계를 만드는가』 37~38쪽, 김영사, 2021.

이야기 9. 상식의 충돌

날아가는 화살은 어느 순간에 어느 지점에 있게 된다. 그 다음 순간에도 한 지점에 머물러 있게 된다. 화살은 항상 머물러 있으므로 날아가는 화살은 날아가지 않는다.

\- 제논 -

동영상은 일종의 눈속임이라고 할 수 있다. 고대 그리스의 철학자 제논은 이런 눈속임에 속지 않으려 했다. 제논은 운동에 관한 흥미로운 역설들을 제시하였는데 그 중에 화살의 역설이 있다. 이 역설을 우리에게 익숙한 동영상의 경우로 바꿔보면 정확히 일치한다.

"동영상의 어느 한 장면은 정지 화면이다. 동영상은 정지 화면들로 만든 것이므로 사실은 동영상이 아니다."

제논의 말처럼 수많은 사진들을 모아 놓는다면 동영상이 아니다. 그렇지만 우리는 정지화면들이 동영상이 된 이유를 알고 있다. 기계들이 정지화면들을 알아채지 못할 정도로 빨리 돌리고 있기 때문에 정지화면들은 동영상처럼 보이게 된다.

과학자 중에 제논처럼 운동에 대해 엉뚱한 생각을 한 사람이 있었다. 양자역학의 기초를 만든 물리학자들 중 한 명인 베르너 하이젠베르크는 원자 안에서 전자가 움직이는 운동에 대해서 고민하고 있었다.

실험을 통해 알려진 전자의 움직임은 그 당시에 물리학자들이 운동에 대해 이해하고 있던 바와 맞지 않았다. 전자는 매끄러운 운동의 동영상을 보여주지 않고 특정 위치에서 띄엄띄엄 확인되었다.

고민하던 어느 날 하이젠베르크는 밤거리의 가로등 밑을 지나가는 사람을 보고 전자의 움직임이 그와 비슷하다는 생각을 떠올린다. 사람이 가로등 아래서만 잠깐 나타났다가 사라지기를 반복했던 것처럼 전자가 연속적으로 이동하는 것이 아니라 도약하듯이 나타난다고 생각한 것이다.

하이젠베르크는 다른 물리학자들보다 먼저 매끄러운 운동이 눈속임임을 인정하고, 사라졌다 나타나는 운동의 규칙을 행렬역학과 불확정성의 원리로 만들었다.

날아가는 화살의 역설을 피하는 답은 보통 이렇다.

"시간이나 운동은 수직선에 비유할 수 있다. 길이를 갖는 수직선은 길이가 없는 점으로 이루어진 것이 아니고 길이를 갖는 작은 선들로 이루어진 것이다. 이처럼 시간이나 운동도 제논의 말처럼 멈춰진 순간으로 이루어진 것이 아니라, 폭을 갖는 흐름과 움직임으로 이루어진 것이다."

이 대답은 우리의 일상적인 상식과 맞고 그동안 말해온 이어짐이 갖는 선의 의미와도 잘 맞는다. 수학에서 미분방정식은 선의 특정한 지점에 숨어 있는 흐름을 계산할 수 있게 해준다. 이렇게 해서 시간과 화살은 매끄럽게 흘러가고 날아갈 수 있어 보인다.

그러나 미세한 양자의 세계에서 그런 매끄러운 이어짐은 더 이상 상식이 아니었다. 우리가 아는 상식적인 이어짐은 사실은 눈속임이었고, 모든 눈속임이 그렇듯 세밀함의 한계가 있었다.

매끄러운 이어짐이 눈속임이 될 수밖에 없는 이유가 있다. 이음은 다름을 불러온다. 시간이나 공간의 자리가 달라질 수도 있고, 모양이나 성질이 달라질 수도 있다.

화살이 멈추지 않고 날아간다는 것은 작게 나눠봤을 때도 화살은 어떤 위치에 있으면서 바로 다음 위치에도 있어야 한다는 것이다. 그래야 시간과 운동의 폭이 채워진다.

하지만 이렇게 두 위치에 있어야 하는 화살은 더 이상 상식적인 사물이 아니다. 이어짐의 상식과 경계가 명확한 사물의 상식은 우리가 알아채지 못하는 미세한 영역에서 서로 충돌하고 있었던 것이다. 제논은 두 상식의 충돌을 먼저 발견했다.

뭔가 달라졌다는 것은 달라지기 전과 후의 구분이 생겼다는 말이다. 그것은 동영상에서 한 장면과 다음 장면의 차이가 있는 것처럼 명확한 구분점이 생겼다는 것이고, 두 장면을 빠르게 넘기는 활동이 있었기 때문에 발생한 것이다.

여기에서 이어짐의 눈속임이 필요하게 된다. 잇는 활동은 겉으로 드러나지 못한다. 다른 상황을 잇는 중간 과정은 드러낼 수 있는 명확함을 갖지 못하기 때문이다. 제논과 그의 스승 파르메니데스, 그리고 이에 영향을 받은 플라톤은 생성의 이러한 불확실함을 명확히 고정된 성질들(예컨대 이데아)과 대비시켜 허상이라고 했다.

이어짐에서 다른 상황을 만들어내는 것과 달라진 상황을 드러내는 것은 모두 필요한 일이다. 연속적인 과정은 이어짐을 만드는 적극적인 활동이다. 그러나 연속적인 흐름만으로는 어떤 일이 일어나고 있는지를 알리지 못해서, 동영상은 나오지 않고 화살은 날아가는 모습을 보일 수 없다. 반대로 명확한 상황을 알려주는 구분점들 만으로는 그 확실함으로 인해 이어지고 달라지는 과정을 만들어내지 못한다.

더구나 동영상에서는 다음 장면이 정해져 있지만 날아가는 화살은 다음 상황을 미리 알지 못한다. 갑자기 바람이 불어올 수도 있고 장애물이 있을 수도 있다. 현실에서 다음 장면은 미리 구분해서 표시할 수 있게 준비되어 있지 않은 것이다.

날아가는 화살은 진짜 라이브 영상으로 이음과 다름을 매순간 즉각적으로 교차하며 매끄러워 보이게 날아간다. 화살과 빛이 이어지는 만남은 영상의 한 점 한 점을 그때마다 다르게 표시한다.

“
젊은 베르너는 생각에 잠겨 공원을 걷고 있습니다. 공원은 어둡습니다. 흐릿한 가로등 몇 개만 여기저기 작은 빛의 웅덩이를 만들고 있을 뿐입니다. 빛의 방울들 사이에는 넓은 어둠의 공간이 펼쳐져 있습니다. 갑자기 하이젠베르크는 한 사람이 지나가는 것을 봅니다. 사실은 지나가고 있는 과정의 사람을 본 것이 아닙니다. 그가 본 것은 한 사람이 한 가로등 아래에서 나타난 뒤 어둠 속으로 사라지고, 이윽고 다른 가로등 아래에서 다시 나타나서는 또 다시 어둠 속으로 사라지는 모습입니다. 그렇게 계속해서 한 빛의 웅덩이에서 다른 빛의 웅덩이로 건너가다 밤의 어둠 속으로 사라져버립니다. 하이젠베르크는 ‘당연히’ 그 남자가 사라졌다가 다시 나타나는 것은 아니라고 생각합니다. 한 가로등 빛과 다른 가로등 빛 사이의 그 남자의 진짜 궤도를 상상으로 재구성할 수 있으니까요. 어쨌든 사람은 크고 무거운 물체이고, 크고 무거운 물체는 그냥 나타났다가 사라졌다가 하지는 않는데 … ‘아! 이런 크고 무거운 물체들은 사라지고 다시 나타나고 하지 않지, 하지만 전자에 관해서는 무엇을 알지?’ 그의 머릿속이 번쩍합니다. ‘만일 전자 같은 작은 물체들에서는 이 ‘당연함’이 더 이상 들어맞지 않는다면? 만일 실제로 전자가 사라지고 다시 나타나고 할 수 있다면? 만일 원자의 스펙트럼 구조의 근저에 이러한 신비로운 ‘양자도약’이 있는 것이라면? 만일 다른 무언가와 어떤 상호작용을 하고 또 다른 상호작용을 할 때, 그 사이에 전자는 말 그대로 어디에도 있지 않은 거라면? …’* ”

* 카를로 로벨리, 김정훈 옮김, 『보이는 세상은 실재가 아니다』 120쪽, 쌤앤파커스, 2018.

이야기 10. 생성의 네 바퀴

보이는 것과 비어있는 것은 같다.

-「반야심경」-

제논이 운동이 불가능하다고 주장하기 위해 역설적인 상황을 제시했던 것에 반해, 불교에서는 머물러 있는 것은 없다는 것을 주장하기 위해서 역설을 제시한다.『반야심경』에서는 "색즉시공 공즉시색(色卽是空 空卽是色)"이라고 하여 보이는 것과 비어있는 것은 같다고 역설적으로 말한다.

불교의 기초 존재론은 연기론으로 색과 공의 역설도 연기론을 통해 이해할 수 있다. 이어짐으로 생기는 다름의 공존에 대해 가장 먼저 그리고 가장 함축적으로 표현한 것은 불교의 연기론일 것이다. 연기의 연(緣)은 서로 이어짐을 뜻하고, 기(起)는 다르게 일어남을 뜻한다.* 그래서 연기론은 세계의 다른 여럿들이 이어지면서 또 다른 여럿이 되는 생멸과 공존의 상황을 함축적으로 설명하고 있다.

색즉시공의 공은 연기의 잇는 과정이 명확하게 보일 수 없음을 뜻하고, 색은 연기로 달라진 결과가 나타남을 뜻한다.『반야심경』의 전체 내용은 색으로 대표되는 여러 가지 다름의 덧없음을 말하면서 모든 것이 공하여 흘러감을 깨달아야 한다는 것이다.

* '연기'는 산스크리트어 'pratītya samutpāda(프라티이트야 삼우뜨파다)'의 한자 번역어로 원어로도 '~을 조건으로 하여 일어난다'는 뜻이다. (권오민,『인도철학과 불교』191쪽 참고, 민족사, 2004.)

우리의 주장은 끊임없이 일어나는 생성을 강조하는 『반야심경』에 더 가깝다. 그러나 제논이 말한 대로 매끄럽게 이어지는 운동은 불가능하다는 주장 또한 비판적으로 수용한다.

끊임없는 생성은 순간의 머무름에 의지해서는 일어날 수 없지만, 머물지 않고 흘러가기 위해서는 역설적으로 흘러가기 전과 흘러간 후의 차이가 발생해야 한다. 그래서 어떤 차이를 만들 수 있는 구분되는 요소들 없이는 흘러감도 있을 수 없다.

모든 것들이 다르게 흘러간다면 오히려 흘러감을 느끼지 못할 것이다. 반대로 모든 것들이 남아 있다면 남음을 느끼지 못할 것이다. 흘러갈 것은 흘러가고 남을 것은 남는 대비 속에서만 우리는 구분하고 알고 느낄 수 있다.

이어지는 흐름은 떠내려 보내면서도 다시 살아나게 한다. 우리는 항상 이어지는 흐름 속에서 달라지는 상황을 보고 있다. 그것은 주위 상황의 변화를 보는 것이기도 하고, 그에 따른 내 마음의 변화를 느끼는 것이기도 하다.

세계는 이어지고 달라지면서 여럿이 되면서도 하나로 엮이게 된다. 분리되고 구분되는 여럿은 다시 이어지고 달라지면서 또 다른 하나하나의 여럿이 된다. 이렇게 지금까지 다뤄 온 두 역설, 여럿이면서도 하나인 역설과 이음이 다름이 되는 역설은 서로 연결된다.

여럿으로서의 세계, 하나로서의 세계, 이어지고 생성하는 세계, 다르게 구분되는 세계는 어느 하나도 소홀히 할 수 없는 같은 세계의 여러 측면들이다. 여럿이면서 다양한 세계는 역동적인 흐름을 통해 하나로 이어지면서도 각각의 독특한 차이를 드러낸다.

이 네 측면은 자동차의 네 바퀴처럼 함께 달리고 있기 때문에 일부만을 강조하고 나머지는 소홀히 했을 때에는 속도를 높일 수도 방향을 제대로 조절할 수도 없게 된다.

여럿으로서의 세계를 강조한다면 각각의 존재는 독립성을 얻겠지만, 존재들 사이의 관계는 불필요하거나 피상적인 관계가 될 것이다.

하나로서의 세계가 강조된다면 일사불란하게 돌아가는 질서 잡힌 세계를 보겠지만, 전체 속에서 개체들은 그 존재 의미를 잃기 쉽다.

이어지고 생성하는 세계가 강조된다면 변화무쌍한 세계를 보겠지만, 각각의 다양한 특성들에 관심을 가지는 것은 부질없는 일로 보일 수 있다.

다르게 구분되는 세계가 강조된다면 다채로운 각각의 특성으로 나타나는 존재들을 보겠지만, 세계의 역동적인 발생은 현란한 속임수로 보일 것이다.

극단적인 전체주의와 극단적인 개인주의는 역사적으로 또 오늘날에도 우리의 공존에 여러 상처들을 남겨 왔다. 그런데 그런 관점은 정치사회나 인간관계에만 있는 것이 아니라 우리의 사고방식, 생활 습관, 언어 속에 스며들어 있다.

사실 그 두 극단주의는 서로 가깝다. 전체로서의 하나이든 하나하나의 개체들이든 둘 다 하나의 동일함에 대한 집착이 있다. 그러나 세계의 어느 한 부분을 보더라도 하나로서의 측면과 여럿으로서의 측면이 복잡하게 교차하면서 공존하고 있다. 한 사람의 마음도 수많은 요소들이 들어오고 나가면서 한편으로는 자기만의 비밀을 간직하고 있다.

세계의 모든 부분들에서 이런 공통된 측면이 보이는 것은 세계의 근본적인 존재 양상이 그러하기 때문이다. 세계는 하나도 아니고 여럿도 아니고, 하나이면서 여럿이다. 그렇게 존재하기 위해서는 다양하고 역동적인 일들이 끊임없이 일어나야 한다.

이러한 존재 방식을 이해하고 각각의 상황에 맞게 실천하는 것이 우리에게 주어진 과제다.

"

과일과 씨앗은 같지 않다. 모양이 다르기 때문이다. 그러나 이 둘은 다르지도 않다. 씨앗과 과일은 떠나 있을 수 없기 때문이다. 씨앗과 과일이 분리된 것이 아닌 것은 과일은 씨앗을 이어서 생기기 때문이고, 불변한 것도 아닌 것은 과일이 생기면 씨앗이 없어지기 때문이다.*

"

* 원효, 『금강삼매경론』 72경문 중에서.

정선희

2장

일의 리듬

이야기 11. 일 더하기 일

길이 끝나는 곳에서도

길이 있다

길이 끝나는 곳에서도

길이 되는 사람이 있다

스스로 봄길이 되어

끝없이 걸어가는 사람이 있다

- 정호승 「봄길」 중에서 -*

세계는 서로 다른 여럿이 이어지고 다시 달라지면서 현실적인 일들을 만들어 가고 있다. 그 일들의 내용은 반복되는 평범한 일일 수도 있고, 재밌고 흥미로운 일일 수도 있고, 놀랍고 충격적인 일일 수도 있다. 우리말 '일'은 그 어떤 내용이라도 담을 수 있는 유연함이 있다.

태초에도 어떤 일이 있었을 것이다. 아주 멀리 어느 별에서도 어떤 일이 있을 것이고, 까마득한 미래에도 어떤 일이 있을 것이다. 작은 소립자들의 세계에서 무슨 일들이 일어나는지를 알기 위해 많은 과학자들이 일하고 있다. 역사책을 가득 채운 지난 일들이 있고, 혹시 일어날지도 모를 꿈같은 일들도 있다. 고민하고 걱정하는 일, 슬퍼하고 기뻐하는 일, 생각하고 글을 쓰는 일들도 있다. 나눠진 여럿이 이어지는 것도 일어나는 것이고, 먼저 있었던

* 정호승, 시선집 『내가 사랑하는 사람』 143쪽 「봄길」 중에서, 비채, 2021.

것으로부터 달라지는 것도 일어나는 일이다.

수학에서 1 더하기 1은 2가 된다. 그와 달리 일 더하기 일은 다시 일이 된다. 일에서 일을 빼도 일이 되고, 일에 무슨 짓을 하든 일어나는 일이 된다. 수학은 추상적이고 단순한 약속에서 출발한다. 그러나 일은 출발부터 단순하지 않고 조금만 더해가도 점점 더 뒤엉키면서 복잡해진다. 한 가지 일이 끝나도 다른 일이 다시 이어진다. 세계에서 일어나는 일들은 단순하지도 않고, 시작도 모르고, 끝나지도 않고, 경계가 모호하고, 변덕스럽다. 그렇지만 복잡하고 다양한 일들에도 공통되는 규칙이 있을 수 있다. 일들이 서로 이어지고 달라지면서 계속되는 것처럼.

생성이 일어나는 과정은 쉽게 드러나지 않는다. 드러나는 것은 생성이 만든 차이이지 생성의 활동 자체가 아니다. 그래서 베르그손은 노자처럼 '지속'하는 생생함을 합리적이고 논리적으로 표현할 수 없다고 했다. 그의 주장처럼 변화무쌍한 생성을 인간의 언어로 표현하는 것은 무모한 도전일지도 모른다. 그렇지만 우리가 '생성', '지속', '도(道)'에 대해서 합리적이고 논리적으로 알아야 그렇게 부를 수 있는 것은 아니다. '생성'이라는 말을 통해서 관심을 갖고 다시 질문하기 위해서 이름 짓고 부른다.

여기에서는 앞으로 '일'이라는 이름으로 생성을 부르고 질문하려 한다. 생성에 대한 여러 이름들이 있었다. '연기', '기(氣)', '사건', '지속', '도(道)', … 이중 어떤 이름을 선택한다고 해도 안 될 것은 없다. 그러나 '일'을 선택한 이유는 우리 삶에 밀접하고 유연한 말이기 때문이다. 다른 이름을 쓴다면 더 많은 수식어가 필요하고, 중간에 만난 사람에게는 처음부터 다시 설명해야 할지도 모르지만, '일'은 우리가 항상 쓰고 있는 '일'이라는 말을 가장 넓은 범위로 이해하면 된다. 적당한 철학적 개념을 일상적인 말에서 쉽게 찾을 수 있었다는 것은 다행히도 우리 생각과 삶에 '일어나는 일'이라는 개념이 스며들어 있음을 의미할 것이다.

"세계는 일어나는 일들의 모임이다.
우리는 일이 진행되는 이야기를 모아서 엮고 있다."

생성하는 세계와 생성의 존재론이 무엇이고, 어떻게 만들어 가는지를 간단히 말하면 이와 같다. 일어나는 일과 일을 이해하고 활용하는 이야기는 반갑게도 언제나 우리 곁에 있어 왔다. 앞으로 할 일은 모아온 이야기들 속에 배경으로 숨어 있는 이야기 속의 이야기를 찾는 것이다.

이야기는 일에 맥락과 정체성을 부여한다. 생성의 존재론은 세계라는 일의 모임에 숨어 있는 아주 기초적이고 유연한 정체성에 대한 탐구다. 생성과 정체성이라는 어울리지 않는 조합을 탐구하는 것이기에 그리 순탄치 않은 여정이 될 것이다.

“

『도덕경』 제14장에서는 도를 ‘일(一)’이라고 표현하기도 합니다. 이 표현을 두고 많은 사람들은 노자가 ‘도’를 단일성을 가진 어떤 것, 즉 실체나 본체로 상정했다고 합니다. 하지만 이는 노자 철학 전체를 보지 못하고 ‘일’이라는 글자에 대해 가지고 있는 익숙한 느낌만으로 노자의 ‘일’을 대하기 때문에 범하는 오류입니다.

노자에 나오는 ‘일’을 사물에 비유해서 말하자면, 스테인리스 젓가락같이 생긴 ‘일’이 아닌 새끼줄같이 생긴 ‘일’이라고 할 수 있어요. … ‘유’와 ‘무’라는 두 대립면의 꼬임으로 이 세계가 되어 있음을 ‘도’로 표현하고 그것일 ‘일’이라는 글자로 상징하는데, 그 모습을 또 새끼줄의 꼬임으로 형상화한 것이죠. …

노자가 “도는 개념화할 수가 없다”고 말하는 진정한 이유는 변화와 관계 속에 있는 세계를 개괄하는 범주인 ‘도’를 고정하고 제한하는 기능을 하는 ‘언어’로는 담을 수 없기 때문입니다. ‘도’가 거대하고 초월적이어서 개념화할 수 없다고 말한 것이 결코 아닙니다. 그것이 새끼줄처럼 꼬여 있기 때문에 어느 한 의미로 제한할 수 없다는 것이지요.

노자의 철학에서 ‘동(同)’, ‘현(玄)’, ‘혼(混)’, ‘일(一)’, ‘도(道)’는 결국 울타리 없이 한 마당에서 같이 지내는 근친간의 관념들인 것이죠. 모두 대립면의 공존, 관계, 단절된 경계의 무화(無化), 뒤섞임 등의 의미를 가지기 때문입니다.*

”

* 최진석, 『생각하는 힘, 노자 인문학』 122~124쪽, 위즈덤하우스, 2015.

이야기 12. 사실과 생성

세계는 일어나는 모든 것이다.

세계는 사실들의 총체이지, 사물들의 총체가 아니다.

- 비트겐슈타인 -*

비트겐슈타인은 자신의 초기 철학을 담은 책 『논리철학논고』의 시작에서 우리처럼 '세계는 일어나는 일들의 총합'이라고 말했다. 그리고 그 일들에 대한 정확한 그림을 그릴 수 있는 논리적인 방법을 제시하고 있다. 그러나 우리는 『논리철학논고』의 방법을 따를 수 없다. 그도 철학은 세계에 대한 이론을 제공할 수 없다고 했기에 자신의 방법을 권하진 않았을 것이다.

비트겐슈타인의 주장은 분리된 '사물'들이 아니라 사물들(더 작게 분석한다면 대상들)의 배열 관계와 그 변화로서의 '사실'을 강조한다는 점에서는 '생성'이나 '사건'과 가깝게 느껴진다. 하지만, 일어나는 일들의 명확한 사실적인 측면만으로는 반쪽짜리 '세계'라고 할 수도 없다. 그는 『논리철학논고』에서 '세계라는 사실들의 총합'을 정확히 말하는 방법을 제안할 게 아니라, '세계의 사실적인 측면'을 보다 명확히 말하는 방법으로 제안했어야 했다.

물론 그도 사실로서의 세계에 담을 수 없는 부분이 많다는 것을

* 비트겐슈타인, 이영철 옮김, 『논리철학논고』 19쪽, 책세상, 2020.

잘 알았기 때문에, "말할 수 없는 것에 관해서는 침묵해야 한다"*는 유명한 말로 책을 끝낸다. 말할 수 있고 그림 그릴 수 있는 일어나는 사실과, 가치와 정서나 창조성 같은 말하기 힘든 것은 분리해야 한다는 것이다. 그러나 일어나는 일에서 이런 영역 구분은 불가능하다. 사실적으로 보이는 시각을 통한 인식도 종합과 상상을 거친 선택되고 가공된 사실이고, 부분적인 색깔과 모양들의 단순한 배열이 아니다. 예를 들어 눈앞에 보이는 '책상'도 단순한 사실이 아니라, 비슷한 물건들을 '책상'으로 묶은 개념적인 사실이다.**

세계가 일어나는 일들의 총합이려면 우리 자신에게서 일어나는 일들도 포함되어야 한다. 인간은 일의 관찰자인 동시에 일의 참여자이고, 세계와 인간의 명확한 경계는 없다. 우리 삶에서는 항상 사실에 대한 이해, 그에 대한 감정, 원하는 목적, 실천하는 행동이 같이 일어난다. 그래서 일어나는 일들을 보다 정확히 담으려는 진리는 역설적으로 진리의 입장에서만 담을 수 없고, 정적인 그림의 연속이 아니라 진행하는 생생한 이야기가 되어야 한다.

이야기는 사실을 담는 것만이 아니라 일어나기를 원하는 목표나 일어날 수 없는 상상에 대한 것이기도 하다. 사실을 수용하는 과정에서도 의식적 또는 무의식적으로 간추리고 강조하면서 이야기를 재구성한다.

---

* 같은 책 129쪽.

** 비트겐슈타인이 후기에 『철학적 탐구』에서 제시한 '가족유사성'.

또한 이야기들 자체도 일하고 있는 일종의 일이다. 감각이나 이론, 계획, 욕구, 상상 같은 이야기들은 열심히 일하고 있다. 역사학자 유발 하라리는 『사피엔스』에서 인간이 만들고 공유한 이야기야말로 지난 역사를 이해하고 미래를 만들어 가는 가장 중요한 요소라고 강조한다.

모든 것을 일어나는 일이라고 말할 수 있는 이유는, 그것들이 지난 일들에서부터 다시 새롭게 일어나고 일하고 있기 때문이다. 머물러 보이는 것들도 머물러 보이는 일을 하고 있다. 비트겐슈타인은 『논리철학논고』에서 일을 사실로 보았지만, 우리는 일을 생성으로 본다. 일은 가능성을 품고 있는 사실이 아니라 가능성을 실현하고 있는 생성이고, 진리는 사실을 담은 그림이 아니라 생성을 담은 이야기여야 한다.

비트겐슈타인의 후기 철학을 담은 『철학적 탐구』에서는 사실에서 생성으로, 그림에서 이야기로 옮겨가는 과감한 전환을 보여준다. 이 책에서 그는 언어의 사용 맥락이라는 역동적인 이야기의 성격과 일과 이야기의 상호작용을 강조한다. 그의 철학적 입장이 바뀐 것처럼 철학의 역사에서 개념들의 사용 맥락도 끊임없이 변화해 왔다. 그는 무의미하고 혼란스러운 철학 논쟁을 끝내고 싶어 했지만, 철학이 흥미로운 언어 게임이 되지 못할 이유는 없다. 세계와 철학 모두 다시 생성하는 일과 이야기의 모임이기 때문이다.

“

유기체의 철학은 서아시아나 유럽의 사상보다는 인도나 중국의 사상의 기조에 더 가까운 것으로 생각된다. 후자 쪽에서는 과정을 궁극자로 보는데, 전자 쪽에서는 사실을 궁극자로 보고 있다.*

현실적 존재가 어떻게 생성되고 있는가라는 것이 그 현실적 존재가 어떤 것인가를 결정한다는 것. 따라서 현실적 존재에 대한 두 가지 기술은 서로 독립해 있는 것이 아니다. 현실적 존재의 <있음>은 그 <생성>에 의해 구성된다.**

”

“

무수한 종류의 문장이 있다. 우리가 “기호”, “낱말”, “문장”이라고 부르는 모든 것에는 서로 다른 무수한 종류의 쓰임이 있다. 그리고 이런 쓰임의 다양성은 단 한번 정해진 채로 고정되는 것이 아니다. 새로운 형태의 언어와 새로운 언어게임이라고 할 만한 것들이 생겨나고, 다른 것들은 쓸모없어져 잊혀진다.

여기서 “언어게임”이라는 낱말은 언어를 말하는 일이 어떤 활동의 일부, 또는 삶의 형식의 일부라는 사실을 강조하기 위해 사용된다.***

”

---

* 화이트헤드, 오영환 옮김, 『과정과 실재』 56쪽, 민음사, 1991. (‘유기체의 철학’은 화이트헤드 자신이 『과정과 실재』에서 제시하는 생성의 철학 체계를 말한다.)

** 같은 책 81쪽.

*** 비트겐슈타인, 이승종 옮김, 『철학적 탐구』 54쪽, 아카넷, 2016.

이야기 13. 현실의 뚜렷함

보고 듣는 것 밖에 진리가 따로 없으니

산은 산이요 물은 물이로다

- 성철 -*

"산은 산이요 물은 물이로다." 우리에게는 성철 스님이 전해서 널리 알려졌는데, 원래 당나라의 선승 청원유신의 선시 구절이다. 이 말은 너무 당연해서 혹시 "산이 산이 아닐 수 있을까?" 생각해 보게 만든다. 그리고 한편으로 『도덕경』 1장을 따라서 "산을 산이라고 하면 진정한 산이 아니다"라는 말이 떠오르기도 한다.

영국의 산악인 조지 말로리는 1923년에 뉴욕타임즈 기자가 물어본 에베레스트를 오르려고 하는 이유에 대해 "거기에 산이 있으니까(Because it is there)"라는 유명한 대답을 남겼다. 안타깝게도 그는 다음해인 1924년 에베레스트 등반 중 정상 아래 수백 미터 위치에서 목격된 이후 실종된다.

산은 분명 거기에 그렇게 있어 보인다. 그러나 멀리서 바라보는 에베레스트와 직접 등반하는 에베레스트는 같은 산이 아니기 때문에 위험을 무릅쓰고 오르고자 했을 것이다.

현실의 가장 큰 특징은 그것이 뚜렷하게 나타난다는 것이다. 현실은 '바로 거기에서 그렇게' 일어난다. 현실에서 이것은 이것이

---

* 성철, 대한불교조계종 제7대 종정 취임 법문 중에서, 1981.

고 저것은 저것으로 보인다. 이 뚜렷함이 없다면 에베레스트를 멀리서 볼 수 있거나 가까이 오를 수 있지 않을 것이다. 에베레스트는 거기에 그렇게 우뚝 솟아 있는 산처럼 보인다.

그러나 그 누구도 같은 에베레스트를 경험하지 않는다. 사진이나 전해들은 이야기로 경험하는 사람들도 있고, 멀리서라도 직접 본 사람들도 있고, 가볍게 낮은 곳을 걷는 사람들도 있고, 목숨을 걸고 정상까지 도전하는 사람들도 있다. 계절 시간 날씨에 따라서도 에베레스트는 조금씩 다른 산이 된다.

에베레스트에 있는 어떤 바위나 한 줌의 흙에게 에베레스트는 어떤 의미일까? 정작 그것들에게 하나의 산으로서의 에베레스트는 지나가는 바람보다도 먼 존재일지 모른다. 우뚝 솟아 있는 하나의 산은 멀리서 바라볼 때나 뚜렷하게 경험할 수 있다. 산에 가까이 갈수록 산을 하나의 산으로 경험하기는 더 어렵다.

우리는 에베레스트를 하나의 산으로 거기에 그렇게 있는 것으로 여기기 쉽지만, 하나의 에베레스트는 '어디에도 어떻게도' 있지 않다. 대신 각자의 자리에서 각자의 방식대로 에레베스트를 만나고 겪는 일들이 있을 뿐이다. 현실의 뚜렷함은 하나의 존재로서가 아니라 일의 결과로서 잠시 '거기에 그렇게' 나타난다.

에베레스트의 뚜렷함은 멀리서 바라본 높고 웅장한 뚜렷함, 정상이 가까운 등반가의 발자국과 호흡곤란의 뚜렷함, 눈보라를 맞는 생물들의 혹독한 뚜렷함, 흔들리는 땅을 지탱하는 바위의 뚜렷함이다.

"

노승이 30년 전 아직 참선을 하지 않을 때
산을 보면 산이었고, 물을 보면 물이었다.

나중에 선지식을 직접 배우고 깨달은 바가 있은 다음에
산을 보니 산이 아니었고, 물을 보니 물이 아니었다.

마음 쉴 곳을 얻은 지금에 이르러
다시 산을 보니 단지 산이고, 물을 보니 단지 물이더라.

이보게들, 이 세 견해가 같은 것인가 다른 것인가?*

"

* 청원유신, 명나라 때 거정이 엮은 『속전등록』 제22권 중에서.

이야기 14. 뚜렷함과 희미함

> 뒤바뀜이 도의 움직임이고, 약해짐이 도의 쓰임이다.
>
> 천하만물은 있음에서 생기고, 있음는 없음에서 생긴다.
>
> - 노자 「도덕경」 제40장 중에서 -

사라지지 않고 머물 수 있는 능력으로 보자면 단단한 돌맹이는 살아있는 생명체보다 훨씬 더 유리하다. 100만 년이 넘은 돌도끼 유물이 아직까지 형체를 유지하면서 발견되기도 한다. 그 옛날 그것을 만들고 사용했던 사람은 길어야 100년 정도 살았겠지만, 돌도끼는 아직까지 뚜렷하게 남아 있는 것이다.

그러나 오랫동안 그렇게 그대로 남는 것이 살아가는 이유는 전혀 아니다. 고대 로마의 도시 폼페이에서는 갑작스러운 화산 폭발로 인해 사람들도 화산재 속에 돌처럼 굳은 채로 발견되어 안타까운 마음이 들게 한다.

잘 다듬어서 쓰던 돌도끼는 선사시대 어떤 사람에게는 요긴한 도구였을 것이고, 흙더미 속에서 그것을 다시 발견한 고고학자에게도 돌도끼는 특별한 돌이었을 것이다. 운이 좋았다면 고고학자는 돌도끼 주인의 뼈들을 함께 발견했을 것이다.

비록 뚜렷하게 남겨진 것은 돌과 뼈지만, 우리가 그것들에 관심을 기울이는 것은, 그것들에 남겨진 선사시대 사람이 살았던 흔적 때문이다. 그의 삶은 뚜렷함을 잃었지만 완전히 사라진 것이 아니라 흔적들을 통해 희미하게 남았다가, 새로운 만남을 통해 다시 새로운 뚜렷함을 만든다. 뚜렷함과 뚜렷함 사이에는 희미함 속의 만남이 있다.

지나간 일만 희미하게 전해지는 것이 아니라 앞으로의 일도 희미하게 다가온다. 살면서 가장 시급한 문제는 이로운 것과 해로운 것을 판단하는 것이다. 삶은 구분과 선택의 연속이다.

정말로 고민이 되는 괴로운 문제는 어떤 것이 이롭고 어떤 것이 해로운지 뚜렷하지 않을 때가 많다는 것이다. 선택은 지금의 현실에서 뚜렷하게 해야 하지만, 이로움과 해로움은 다가올 미래에 뚜렷해진다. 그래서 생명체는 현실의 뚜렷함만으로는 살아갈 수 없다. 중요한 문제들은 지금은 희미한 채로 잘 드러나지 않으면서도 어느 순간 뚜렷한 현실로 우리 앞에 들이닥치게 된다.

돌은 웬만한 자극과의 마주침에는 끄떡없이 자신의 형태를 지킬 수 있게 준비되어 있다. 우리는 돌처럼 오래 남을 수는 없지만, 희미한 실마리를 활용해서 자신을 지키며 산다. 당장 눈앞에 있는 뚜렷함이 아닌 다가올 수도 있는 일들에 대해 배우거나 호기심을 갖는 것은 뚜렷한 현실의 한계를 극복하기 위함이다.

그런 준비들은 평소에는 희미하게 남아 있지만, 특별한 마주침에서 뚜렷하게 다시 일어난다. 그래서 선사시대인은 돌맹이에서 희미한 돌도끼의 모습을 볼 수 있었고, 고고학자는 돌도끼에서 희미한 선사시대인의 흔적을 볼 수 있었다.

“

고고학자는 일반인들이 지나치고 관심을 두지 않는 토기편 한 점을 발견할 때 작지만 소소한 행복을 느끼는 사람들입니다. 고고학의 매력은 어디 있을까요? 저는 바로 유물을 통해 죽어 있는 과거에 새로운 삶을 부여하는 데에 있다고 생각합니다. …

과거의 그들도 우리와 똑같이 희로애락을 느끼면서 살았을 것입니다. 하지만 그들의 숨결을 직접 느끼는 것은 쉽지 않습니다. 고고학이 찾아내는 과거 사람들의 모습은 차가운 유물뿐이기 때문입니다. 눈으로만 봐서는 절대 그 진실에 가까이 갈 수 없습니다. 유물에 숨어 있는 이야기, 아주 오래 전 그들이 살았던 모습을 상상하고 느낄 수 있을 때, 그들이 단순한 유물이 아닌 우리와 전연 다를 것 없었던 사람들인 걸 알게 됩니다.*

”

* 강인욱, 『강인욱의 고고학 여행』 8~10쪽, 흐름출판, 2019.

이야기 15. 일로 만든 사이

눈에 보이는 것만이 실재라면 이 세상은 당장 와해된다.

- 리처드 파인만 -*

일은 언제 어디서나 일어나고 있지만, 정작 그 자신은 잘 드러나지 않는다. 어떤 일이 일어났을 때 우리는 누가, 무엇이, 어디서, 어떻게, 왜 등을 찾는다. 새롭게 일어남은 모든 일에 관여하지만, 바로 그렇기 때문에 너무나 당연해서 모든 일에서 쉽게 사라진다.

물고기가 물의 존재를 잊고 살기 쉽듯이 일어나는 각각의 일들에서 다름을 찾고 비교하다보면, 그 다름을 만들어내는 일에는 주목하지 못하게 된다. 일어남은 고정된 특징을 갖지 못함으로 인해 역설적으로 새롭게 일어난다는 고유한 특징을 유지하게 된다. 그래서 어떤 일에도 유연하게 자리 잡는다.

일이 일어나는 사이는 일어남으로 채워져 있다. 우리에게는 어떠한 상황의 특징들이 보이지만, 그 특징들은 그 사이에서 일어난다. 일은 뚜렷한 것들 사이에서 일어나는 것이 아니라, 반대로 그 뚜렷함과 사이를 만드는 것이다.

세계의 존재들은 일로 만난 사이가 아니라 일로 '만든' 사이다. 지금과 다음 사이, 여기와 저기 사이, 이것과 저것 사이에 일이 생기는 것이 아니고, 지금에서 다음을, 여기에서 저기를, 이것

* 리처드 파인만, 박병철 옮김, 『일반인을 위한 파인만의 QED 강의』 38쪽, 승산, 2019.

에서 저것을 만드는 것이 일이다.

아무리 사소한 일이라고 해도 일은 시작과 끝이 있고, 그래서 일에는 최소한의 일어나는 폭이 필요하다. 만약 우리가 가장 작은 일이 만든 차이를 볼 수 있다고 해도, 그 일하는 사이는 더 이상 나눠 볼 수 없을 것이다. 그래서 일은 일의 시작과 끝의 사이를 만드는 동시에 자신과 세계를 나누게 된다.

일어나는 사이는 바깥에서 보이지 않고 그 안에서 겪을 수만 있다. 바깥에서 보이는 것은 그 일 자체가 아니라 이야기로 재구성된 일이다. 다양한 사람들, 다양한 존재들, 다양한 일들이 있지만 머물러 있지 않고 일의 사이에서 다시 태어난다.

그렇게 세계는 언제나 다시 도약한다. 불가능할 것 같은 작은 넘어섬이 언제 어디서나 일어나고 있다. 일에는 '뛰어' '넘는' 리듬이 있다. 바닥을 딛고 뛰어올라 저 너머에 내려 닿는다.

“

동일성이 일차적이지 않다는 것, 동일성은 원리로서 현존하지만 이차적 원리로서, 생성을 마친 원리로서 현존한다는 것, 동일성은 차이나는 것의 둘레를 회전한다는 것. 이런 것이 코페르니쿠스적 혁명의 내용이다. 이 혁명을 통해 차이의 고유한 개념을 찾을 가능성이 열리게 되었다. 이제 더 이상 차이는 미리 동일한 것으로 설정된 어떤 개념 일반의 지배 아래 묶여 있는 것이 아니다. 니체가 영원회귀를 통해 말하고자 한 것은 다른 것이 아니다. 영원회귀는 동일자의 회귀를 의미할 수 없다. 오히려 모든 선행하는 동일성이 폐기되고 와해되는 어떤 세계(힘의 의지의 세계)를 가정하기 때문이다. 회귀는 존재이다. 하지만 오직 생성의 존재일 뿐이다. 영원회귀는 '같은 것'을 되돌아오게 하지 않는다. 오히려 생성하는 것에 대해 회귀가 그 유일한 같음을 구성하는 것이다. 회귀, 그것은 생성 자체의 동일하게-되기이다. 따라서 회귀는 유일한 동일성이다. 하지만 이것은 이차적인 역량에 해당하는 동일성, 차이의 동일성일 뿐이다. 그것은 차이나는 것을 통해 언명되고 차이나는 것의 둘레를 도는 동일자이다. 차이에 의해 산출되는 이런 동일성은 '반복'으로 규정된다. 그래서 영원회귀의 반복은 또한 차이나는 것으로부터 출발하여 같음을 사유하는 데 있다.*

”

* 들뢰즈, 김상환 옮김, 『차이와 반복』 111쪽, 민음사, 2004.

이야기 16. 시도와 결과

> 한번 음이 되고 한번 양이 되는 것이 길이다.
>
> 一陰一陽之謂道
>
> -「주역」 계사전 -

주사위 던지기 놀이에서 떨어지고 굴러가며 결과를 향해가는 상황과 멈추어서 윗면의 숫자를 보여주는 상태는 이 놀이에서 꼭 필요한 두 측면이다.

이때 움직이는 주사위는 결과를 보여주지 않고, 멈춰진 주사위는 더 이상 다른 결과를 시도하지 않는다. 일의 시도와 결과는 서로 엇갈리면서도 서로를 필요로 하면서 일을 진행시킨다.

앞에서 세계의 뚜렷한 현실들과 희미한 그 사이를 대비시켰고, 일을 통해서 이 두 측면들이 리듬을 타고 일어난다고 했다.

세계에는 서로 대비되는 것으로 여겨지는 상대항들이 많이 있다. 밤과 낮, 더위와 추위, 남자와 여자, +전하와 -전하, 풍요와 빈곤, 하늘과 땅, 등등. 이런 항들은 특정한 때와 장소에서만 나타난다. 그러나 일에서 뚜렷함과 희미함의 교차가 만드는 리듬은 모든 일에서 나타나는 기초적인 대비다.

위에서 열거한 다른 대비들은 일의 내용에서의 상대항인 반면, 뚜렷한 현실과 희미한 사이의 대비는 일의 진행 형식에서의 상대항이다. 모든 일이 진행하면서 나타나는 피할 수 없는 양 측면인 것이다.

희미함과 뚜렷함은 음양이나 노자의 무(無)와 유(有)처럼 세계의 밑바탕에 있는 상호의존적 대립이다.

일의 진행에서 뚜렷함이란 구분되는 내용과 자리가 확정적으로 나타나는 것이고, 희미함은 내용과 자리에서 불확실하게 퍼져 나가는 것이다. 새로운 일이 진행되기 위해서는 기존의 확고함에 머무르지 않고 불확실한 다음으로 나아가는 과정도 필요하고, 한편으로는 불확실한 도전을 확고하게 만드는 과정도 필요하다.

그러나 이 두 과정은 상반되는 성격을 가지고 있기 때문에 나란히 진행되는 것이 아니라 강약의 리듬으로 교차하게 된다. 앞으로 이 강약의 리듬을 일의 시도와 결과라고 부를 것이다.

원인과 결과는 일과 밀접한 짝이지만 과거지향적인 반면, 시도와 결과는 미래지향적이다. 또한 시도라는 말은 희미함(노자의 '무'나 들뢰즈의 '잠재성'이라는 말과 비슷한 느낌)보다 더 구체적이고 적극적인 느낌을 주기 위한 선택이기도 하다.

"

노자가 말하는 '무'는 무엇일까요? 보이거나 만져지지 않으면서 기능성과 활동력은 있는 거예요. 즉 경계에 있지만 그것 자체의 실재적 존재성은 없어요. 그런데 그것 때문에 일이 일어나고 만물이 제대로 생기고 작동하는 거예요. … 문도 마찬가지예요. 구체적인 문짝은 있지만, 저 문은 없는 것이에요. 문은 안과 밖의 '사이'로만 있거든요. … 보이지 않고 만져지지 않는 세계를 '무'라 하고, 보이고 만져지는 세계를 '유'라고 한 거예요. '무'는 마치 시작이나 출발이나 현재처럼 자신의 실재적 존재성은 감추고 있지만, 이 세계를 드러나게 해주는 적극적인 역할을 하지요. 노자의 가장 기본적인 전제는 이 세계가 '무'와 '유'의 상호의존으로 되어 있다는 것입니다. 이것이 '유무상생'이에요.*

"

"

보어는 입자와 파동이라는 두 개념이 서로 상반되지만 이 둘을 다 써야만 원자세계의 이상한 진실을 파악할 수 있다고 주장했다. 즉 입자성과 파동성은 상호배타적이 아니라 오히려 상호 보완적이란 것이다. 보어의 말을 빌리면 "입자와 파동 현상들이 너무나 대조적으로 보일지라도, 원자세계에 관한 모든 정보를 일상적 언어로 애매모호함이 없이 정확하게 파악하려면 둘 다를 상보적으로 사용할 수밖에 없음을 인식해야 한다."**

"

---

* 최진석, 『나 홀로 읽는 도덕경』 68~69쪽, 시공사, 2021.
** 소광섭, 「보어의 상보성 원리」, 『과학사상』 18호 182쪽, 범양사, 1996, 가을.

이야기 17. 일을 나누는 기준

> 나는 생각한다. 고로 존재한다.
>
> Cogito, ergo sum.
>
> - 데카르트 -

퇴근 시간을 기다리거나 주말을 기다리는 것은 그 시점을 지나면서 일의 내용이 바뀌기 때문이다. 일은 끝없이 이어지지만 일의 내용에는 시작과 끝이 있다.

일은 한편으로는 이어져 있고 한편으로는 나눠져 있기 때문에, 일을 어떤 단위로 묶을 것인지는 각자의 기준에 따라 얼마든지 다를 수 있다.

퇴근 후에도 직장 일을 계속 생각하고 있다면 퇴근한 건지 안 한 건지 헷갈릴 것이다. 같은 일이라도 어떤 기준이냐에 따라 묶음의 안이 될 수도 있고 묶음의 바깥이 될 수도 있다.

한 사람의 인생과 하루 일과도 여러 일들이 공존하는 모임이다. 아주 사적인 영역이라고 생각하기 쉬운 나의 의식에는 몸의 바깥에 대한 정보들이 넘쳐난다.

사실 내 안에도 내 의식의 접근하지 못하는 영역들이 많이 있다. 그런 영역들은 내 안이라고 불러야 할지 내 밖이라고 불러야 할지 애매하다. 일들의 시작과 끝, 안과 밖의 경계는 모호하다. 그렇지만 일들은 기준에 따라 나눠보고 묶어볼 수 있다.

데카르트는 “나는 생각한다. 고로 존재한다”는 유명한 말을 남겼다. 아무리 모든 것을 의심해도 의심하는 내가 있다는 것만큼은 신뢰할 수 있다는 것이다.

우리는 생각하는 일을 할 수 있고 ‘생각하는 일’로 묶어 볼 수 있다. 그리고 우리는 존재하는 일을 하고 있고 ‘존재하는 일’로 묶어 볼 수 있다.

여기서 두 개의 다른 일의 묶음이 생긴 것은 묶음의 기준이 달라졌기 때문이다. ‘생각하는 일’에서 ‘존재하는 일’의 사이에는 의심해야 하는 기준의 변화가 있다.

‘존재하는 일’은 ‘생각하는 일’을 포함한 더 넓은 범위로 일을 묶은 것이다. 일반화해서 표현하자면 a라는 일이 일어났는데 a 혼자서 일어날 수는 없으므로(고로), A라고 하는 바탕이 되는 일 속에서 a가 일어났다는 것이다.

데카르트의 추리 과정은 옳다. 어떤 일은 다른 일과의 연관 속에서 일어난다. 그래서 데카르트의 말은 그의 의도와는 전혀 다르게 걷잡을 수 없이 퍼져 나간다.

“나는 생각한다. 고로 나는 존재한다. 고로 세계는 존재한다.”

일의 경계는 날카로운 의심의 칼날로도 자를 수 없게 엮여 있고 다시 엮인다. 아주 단순하고 확고해 보이는 일에도 온 세계가 직간접적으로 엮여 있다. 그래서 일을 나누는 기준은 임시방편적인 것이다.

“

우리 감각들이 가끔 우리를 속이기 때문에, 나는 그것들이 우리에게 상상하게 하는 그대로 존재하는 것은 아무것도 없다고 가정하고자 했다. 그리고 심지어 기하학의 가장 단순한 문제들에 관해서도, 추리를 할 때 착각하는 사람들이, 또 거기서 오류추리들을 범하는 사람들이 있기 때문에, 나도 다른 누구만큼 과오를 범할 수 있다고 판단하면서, 내가 전에 증명들로 간주한 모든 근거들을 거짓으로 던져버렸다. 그리고 끝으로, 우리가 깨어서 가지는 것과 똑같은 모든 사유들이, 자는 동안에도, 우리에게 떠오를 수 있다는 것을, 그렇지만 이런 경우에 참인 것은 하나도 없음을 고찰하면서, 일찍이 내 정신에 들어와 있는 모든 것들이 내 꿈의 환상들보다 더 참인 것은 아니라고 가상하기로 결심했다. 그러나, 바로 뒤에, 내가 그렇게 모든 것은 거짓이라고 사유하고자 하는 동안, 그것을 사유하는 나는 필연적으로 어떤 것이어야 한다는 것에 주의했다. 그리고 나는 사유한다, 그러므로 나는 존재한다는 이 진리는 너무나 확고하고 너무나 확실해서, 회의주의자들의 가장 과도한 모든 억측들도 흔들 수 없다는 것을 알아차리면서, 나는 그것을 주저 없이 내가 찾고 있던 철학의 제일원리로 받아들일 수 있다고 판단했다.*

”

* 데카르트, 이현복 옮김, 『방법서설』 54~55쪽, 문예출판사, 2022.

이야기 18. 가상, 현실

시간은 어긋나 있다.

The time is out of joint.

- 셰익스피어 「햄릿」 중에서 -

드라마 한 편의 마지막은 다음 이야기를 궁금하게 만들며 끝난다. 시청자들은 아쉬움을 남긴 채 가능한 이야기들을 상상하며 다음 편을 기다린다.

스포츠 경기에서는 현실 이야기와 꾸며낸 이야기 사이를 오가는 흥미로운 이야기가 펼쳐진다. '축구공이 골대 안으로 들어가면 점수가 생긴다' 는 것은 꾸며낸 이야기다. 관심 없는 사람에게는 공이 어디로 가든 무슨 상관이 있을까. 그러나 메시의 놀랄만한 연봉처럼 꾸며낸 이야기는 현실과 뒤섞인다.

연극에서는 결말이 그리 중요하지 않다. 그래서 같은 연극을 수없이 반복할 수 있다. 연극에서 매 회마다 똑같은 이야기가 특별해지는 것은 현실과 맞닿아 있어서가 아닐까.

무대에서 일어나는 이야기는 가상이지만 동시에 현실이다. 연극을 보고 있으면 가상과 현실이 맞닿아 진행되는 상황에서 묘한 매력을 느끼게 된다.

연극을 소재로 한 영화 《버드맨》에서는 온갖 일과 이야기들이 뒤섞여 진행된다. 과거와 현재, 영화와 연극, 사실과 뉴스, 의지와 우연, 현실과 망상, 꿈과 이상의 이야기들이 한 흐름으로 이어지면서 관객까지 그 이야기 속으로 끌어들인다.

《버드맨》은 거의 모든 장면이 한 번에 촬영한 것처럼 이어져 있는데, 감독인 알레한드로 이냐리투는 이에 대해 편집 불가능한 삶의 의미를 담고 싶어서 그렇게 만들었다고 말했다.

이어지고 달라지는 세계는 끊임없이 현실의 일과 이야기를 만들어낸다. 그리고 지나간 일을 기록하고 상상의 이야기를 만드는 것도 현실의 일부가 된다.

현재의 일의 결정을 과거의 경험에 따르거나 아직 일어나지 않은 가상에 따라서 하는 것은 삶에서 항상 있는 일이다. 먹이를 찾는다거나 위험을 피하고 대비하는 일들은, 지나간 과거를 참고해서 아직 오지 않은 미래를 시도하는 것이다.

지나간 일과 미래의 일과 상상의 일은 가상의 이야기로 지금의 일에 개입한다. 그리고 지금의 일은 다시 이야기를 남긴다. 지나간 일은 경험과 역사의 이야기로, 미래의 일은 예상과 계획의 이야기로, 상상의 일은 꾸며낸 이야기로 현실과 함께 일한다.

그렇게 가상과 현실, 과거 현재 미래는 일과 이야기를 통해 이어지고 수시로 자리를 바꾼다. 시간이 과거에서 미래로 가는 것은 맞지만 직선처럼 가지런히 가지는 않는다.

“

“시간의 축은 빗장이 풀려 있다.” … 빗장이 풀린 시간은 미친 시간을 의미한다. 그것은 신이 부여했던 만곡에서 벗어난 시간, 지나치게 단순한 원환적 형태로부터 풀려난 시간, 자신의 내용을 이루던 사건들에서 해방된 시간, 운동과 맺었던 관계를 전복하는 시간, 요컨대 자신이 텅 빈 순수한 형식임을 발견하는 시간이다. 이때는 결코 어떤 것도 시간 안에서 펼쳐지지 않는다. 오히려 그 대신 시간 자체가 스스로 자신을 펼쳐나간다.*

”

* 들뢰즈, 김상환 옮김, 『차이와 반복』 209쪽, 민음사, 2004.

이야기 19. 되돌아보는 일

마음 속의 풀리지 않는 모든 문제들에 대해
인내를 가져라.

- 릴케 「젊은 시인에게 주는 충고」 중에서 -

주어진 일을 빈틈없이 수행하는 어떤 기계가 있다. 그 기계가 잘 하는 일은 물건을 옮겨 놓는 것이다. 물건을 옮기는 이유는 따로 없다. 그저 물건이 거기 있고 기계는 그 일을 할 수 있기 때문이다.

기계는 전기만 있다면 쉬지 않고 일을 한다. 벽돌을 옮겨 놓는 일 정도는 하루 종일 1년 내내 할 수도 있다. 기계는 쌓여 있는 벽돌을 이쪽에서 저쪽으로 옮기기 시작한다. 전체를 다 옮기면 이번에는 저쪽에서 이쪽으로 다시 옮긴다.

기계는 자신이 한 일을 보고 뿌듯해하지도 않고 왜 하는지 투덜대지도 않으며 계속 일을 해나간다. 그 기계가 일하는 데에는 별다른 문제가 없다.

세계는 일들의 모임이기 때문에 소소한 일들을 거치지 않고서는 큰 일이 일어나지 않는다. 이때 소소한 일들을 거쳐 큰 일이 생긴다는 것은 단순히 일의 양이 합쳐짐을 말하는 것이 아니다. 같은 양의 일들이 모이더라도 결과가 쌓이는 양상에 따라 원래 상태로 돌아가기도 하고 큰 변화를 불러오기도 한다.

벽돌집을 지을 때 쌓여 있는 벽돌들을 다시 쌓는 방식에 따라 튼튼한 집이 될 수도 있고, 다시 벽돌 더미가 될 수도 있다. 또한 벽돌로 만들 수 있는 집에도 다양한 모양이 있다.

집에서 살아본 적도 없고, 집을 지어본 적도 없는 선사시대 사람들이 집이라는 희미한 아이디어를 떠올린다. 그들은 어떤 모양으로 만들어야 할 지 어떤 재료로 만들어야 할 지 모르지만, 일단 주위에 있는 물건들을 모아서 이렇게 저렇게 어설픈 시도를 해본다. 대부분의 재료와 대부분의 방법은 전혀 쓸모가 없었지만, 어떤 재료와 어떤 방법은 집을 짓는데 도움이 될 수 있을 것 같았다.

벽돌을 쌓는 모양에는 수많은 경우의 수가 있다. 그 중에서 어떤 모양을 제외하고 어떤 모양을 선택할지에 대한 기준과 평가 없이, '그냥 쌓는다'는 진행 방식만으로는 집은 지어지지 않고 우연히 지어져도 제대로 평가받지 못한다.

세계의 일들은 언제 어디서나 쉬지 않고 일어나고 있고, 시도와 결과라는 리듬으로 진행된다. 물건 나르는 기계도 물건 나르기를 계획하고 시도하고 실행한다. 여기에는 아무런 문제가 없다.

이 기계가 벽돌들을 집 모양으로 쌓으려면 설정을 다시 해야 한다. 지난 일을 평가하고 일의 진행을 재설정하는 되돌아봄 없이는, 일은 그냥 쌓여가듯 일어나고 일어나는 대로 쌓인다.

일은 많이 했지만 남은 결과가 보이지 않을 때나, 애써 쌓은 결과가 어이없이 무너져 내릴 때 허탈함을 느끼게 된다. 일의 양과 일의 가치는 비례하지 않는다. 그러나 '허탈함' 이야말로 새로운 시도의 원동력이 된다. 우리는 일어날 수 있는 수없이 많은 이야기와 함께 일하기 때문에 허탈함은 피할 수 없다.

과제와 고민은 해결의 다양한 길을 시도하게 한다. 그 다양한 길에서 겪는 실패나 시련은 무의미한 일이 아니라 불확실한 길을 평가하는 길잡이가 된다. 그래서 실패와 시련의 이야기가 쌓여가면 그것에서 벗어날 수 있는 힘도 함께 쌓이게 된다. 설령 그 힘이 당장의 성과를 내지 못해도 없어지는 것은 아니다.

"

젊은 시인에게 주는 충고

라이너 마리아 릴케

마음속의 풀리지 않는 모든 문제들에 대해
인내를 가져라.
문제 그 자체를 사랑하라.
지금 당장 해답을 얻으려 하지 말라.
그건 지금 당장 주어질 수 없으니까.
중요한 건
모든 것을 살아보는 일이다.
지금 그 문제들을 살라.
그러면 언젠가 먼 미래에
자신도 알지 못하는 사이에
삶이 너에게 해답을 가져다 줄 테니까.*

"

* 정재숙 편, 노석미 그림, 『나를 흔든 시 한 줄』 84쪽에서 재인용, 중앙북스, 2015.

이야기 20. 이야기가 필요한 순간

> 사람이 온다는 건
>
> 실은 어마어마한 일이다.
>
> \- 정현종 「방문객」 중에서 -

어느 더운 여름날 점심으로 냉면을 먹으러 근처 냉면 전문 식당에 간다. 이 식당의 대표 메뉴는 단연 물냉면과 비빔냉면이다. 둘 다 좋아하기 때문에 이번엔 어떤 쪽을 선택할지 짧지만 어려운 고민을 한다.

"그래, 날씨가 더우니까 시원한 물냉면을 먹자." 막상 주문을 하고 나니 비빔냉면도 먹고 싶다는 생각이 다시 든다. "내일 다시 와서 비빔냉면 먹어야겠다"고 다음을 기약하며 아쉬움을 달랜다.

드디어 물냉면이 나온다. 소스를 적당히 넣어서 한 젓가락 먹은 후에 그릇을 들어서 국물도 시원하게 마신다. "역시 더울 때는 시원한 물냉면이 최고네! 내일도 다시 물냉을 먹을까, 벌써부터 고민되네." 이런 즐거운 고민을 하면서 한 그릇을 깨끗이 비운다.

이번 점심 식사의 진행을 객관적인 사실들로 정리하자면, '점심 시간이 되어서 냉면식당에 갔다가, 물냉면을 먹고 나서 돌아왔고, 뱃속에서 소화시키고 있다' 처럼 짧게 말할 수 있다.

이렇게 확실한 일의 결과들만 있다면 일의 진행은 순차적이고 단순하게 여겨질 것이다. 물냉면이든 비빔냉면이든 김밥이든 메뉴가 바뀐다고 해도 별다른 문제가 없고 고민할 이유도 없어 보인다.

점심 메뉴를 정할 때 물냉면과 비빔냉면 사이에서 얼마나 고민스러웠는지, 물냉면의 국물이 얼마나 시원했는지, 이번 일이 다음 점심 식사 때에 어떻게 영향을 미칠지 같은 이야기들은 나에게는 매우 중요한 일이지만 객관적으로는 잘 드러나지 않는다.

일어나는 일들이 남기는 결과들에서 놓치기 쉬운 결과들이 있다. A가 B가 되고, B가 C가 되고, C가 D가 되는 식으로 일들이 일어난다면 생명체는 존재할 수 없었을 것이다. 햇빛은 내리쪼였다가 없어지고, 온도는 올랐다 내려가고, 분자들은 모였다가 흩어지고, 운동은 움직이다가 멈춘다.

햇빛이 쪼였을 때 있었던 일들, 온도가 변하면서 있었던 일들, 분자들이 모이면서 있었던 일들이 그냥 순차적으로 진행되면서 지나가는 것이 아니라, 어떻게든 남아서 다음 일에 영향을 끼쳐야 그것을 활용할 수 있는 생명체들이 만들어지고 살아갈 수 있다.

뇌신경의 전기화학적 신호들을 아무리 따라 다녀봐야 물냉면의 시원함과 그 기억이 나오지 않는다. 짚신벌레의 분자들을 아무리 따라 다녀봐야 먹이와 위험에 대한 호불호가 나오지 않는다.

우리는 앞에서 철학을 '삶과 세계의 이야기를 엮어서 활용하는 일'로 정의했고, 동물들의 본능적인 철학에 대해 생각해 보았다.

욕구나 기억 같은 동물들의 특별한 능력들은 이야기의 형태로 만들어지고 남아 있다가 현재 일어나는 일에 다시 쓰인다. 물냉면의 시원한 맛, 비빔냉면에 대한 아쉬움은 이번 점심에 강렬하게 남아서 다음 점심에 쓰일 것이다.

일이 일어나는 순간에는 이야기가 필요하다. 이야기는 일이 진행되면서 같이 만들어지고 다음 일에 쓰인다. 이야기가 개별적으로 남으면 기억이 되고, 합쳐지면 출처를 알기 힘든 습관이나 본능이 된다.

이야기를 엮어서 쓰는 본능적인 철학은 본능의 일부가 아니라 전부다. 생명체는 일을 그냥 흘려보내지 않고 이야기로 엮어서 활용하는 일의 모임이다.

“

방문객

정현종

사람이 온다는 건
실은 어마어마한 일이다.
그는
그의 과거와
현재와
그리고
그의 미래와 함께 오기 때문이다.
한 사람의 일생이 오기 때문이다.
부서지기 쉬운
그래서 부서지기도 했을
마음이 오는 것이다 - 그 갈피를
아마 바람은 더듬어볼 수 있을
마음,
내 마음이 그런 바람을 흉내낸다면
필경 환대가 될 것이다.*

”

* 정현종, 『섬』 33쪽, 문학판, 2015.

이야기 21. 리듬의 변주

기억에선 지워져도 남는 게 있어

말을 하지 않아도 쓰여진 게 있어

- 온유 노래 「O(Circle)」 중에서 -

돌의 뚜렷한 형태는 쉽게 사라지지 않지만 영원히 유지되는 것은 아니다. 돌은 형태를 지키는 일만 하는 것이 아니라, 형태를 바꾸는 일도 같이 시도하고 있다. 어떤 시도가 작동하게 될지는 새로운 만남을 통해 결정된다. 예를 들어 망치질과의 만남처럼.

돌과 같은 물체에서 시도와 결과의 리듬은 알아채기 힘들 정도로 빠르게 일어난다. 물체는 보통 뚜렷한 결과, 희미한 시도, 만남, 다시 뚜렷한 결과 사이를 진동한다.

그 만남과 진동의 단조로움과 빠름으로 인해 그대로 머물러 있어 보이는 특징을 갖게 된다. 그러나 뚜렷한 결과가 지속되는 존재는 없다. 머물러 보이는 현실은 반복되는 리듬의 시도와 결과다.

우리는 세계의 확고한 기초(실체)에 대해 착각하기 쉽다. 세계가 일어나는 일들의 모임이라고 했을 때, 일이 곧 세계의 확고한 기초가 된다.

일이 그 안에서 일어나는 시공간이나, 일을 하고 있는 물질이나 생명체 같은 것들은 착각이다. 반대로 시공간과 물질과 생명체는 일이라는 확고한 바탕에서 발생한다. 그래서 실체는 아이러니하게도 역동적인 리듬을 갖는 일들이다.

일이 실체로서 기능을 하기 위해서 필요한 조건이 있다. 일의 진행은 앞서 일어난 일들을 기초로 일어난다는 것, 지금 일어나는 일들도 다음 일들을 위해 쓰여야 한다는 것이다. 어찌 보면 당연한 말로 보이겠지만, 우리는 그동안 이 조건에 대해 철저하게 생각하지 않았다.

앞에서 예를 들었던 물냉면과 비빔냉면 사이의 어려운 선택을 다시 떠올려보자. 겉으로 드러나는 일의 진행은 냉면식당 도착 → 물냉면 주문 → 물냉면 먹기 → 식당에서 나오기 → 돌아와 소화시키기로 진행된다.

꿈에서처럼 냉면을 먹다가 갑자기 수영을 한다거나 수업을 듣고 있다거나 하지 않고, 앞선 일들을 기초로 일이 진행된다. 일의 실체성은 잘 기능하고 있는 것일까? 그런데 물냉면과 비빔냉면 사이에서 갈등했던 일, 비빔냉면을 먹지 못한 아쉬움, 물냉면의 시원함은 어떻게 될까?

비빔냉면 먹기는 시도되었다. 그 일은 김치찌개 먹기보다 '훨씬' 더 실현가능성이 컸지만, 뚜렷한 결과를 맺지 못했다. 뿐만 아니라 물냉면의 뚜렷했던 시원함도 점점 희미하게 사라져 간다.

일의 시도는 물체처럼 바로바로 결과를 다시 드러내는 경우만 있는 것이 아니라, 당장 드러나지 않더라도 긴 리듬으로 진행되는 시도들이 있다. 그래서 어떤 경험이 잊혔다가 갑자기 떠오르기도 하고, 오랜 기간 반복된 훈련이 숙련된 순간의 기술로 나타나기도 한다.

비빔냉면 먹기와 물냉면의 시원함은 아직 남아서 새로운 일을 시도하고 있다. 아쉬움과 시원함이 다시 냉면 식당을 향하게 할 것이다.

“

O

김이나

영원히 태양 바람 구름 비와 바다로
봄과 여름 가을 겨울 사이로
만남 이별 모두 다른 적 없는
파도 위에 우린 함께 흘러가고 (후렴)

다른 얼굴과 다른 모양의 마음들
부족하지도 완벽하지도 않음으로 아름다운 거
같은 태양의 아래서 다른 그림자를 그리는
우리 우리
이름이 채 붙지 않은 마음이 있어
천천히 동이 트는 느린 새벽의 행복
손에 잡히지 않아도 가지는 게 있어
분명히 내가 알고 있는 좋은 내 모습

(후렴)

사람들은 웃고 나만 힘든 것 같았을 때
내가 웃을 때 누군가의 긴 밤은 사무치게 외로웠을 때
서로 그렇게 닮아서 말없이 안을 수 있는
우리 우리
기억에선 지워져도 남는 게 있어
나 어릴 적에 꿈꿔왔던 초록빛 세상처럼
말을 하지 않아도 쓰여진 게 있어
별다른 이유 없이 사랑해 준 마음들

(후렴)

태양 바람 구름 바다
돌고 도는 둥근 시간
만남 이별 다시 우리 끝나지 않아
이름 없는 영원 *

”

* 김이나 작사, Harris 작곡, 온유 노래, 「O(Circle)」

이야기 22. 이야기할 수 있는 자유

> 이 마을 전설이 주저리주저리 열리고
>
> 먼 데 하늘이 꿈꾸며 알알이 들어와 박혀
>
> \- 이육사 「청포도」 중에서 -

인터넷이나 스마트폰을 사용하다 보면, 설정 변경이나 본인인증 등의 번거로운 절차를 더듬더듬 따라가다가, 갑자기 처음부터 다시 해야 하는 일을 종종 겪는다.

"아, 이걸 처음부터 다시 해야 하나 …"

그렇지만 한번 해봤다고 멈춘 지점으로 다시 가기까지는 처음보다 훨씬 빨리하게 된다. 지나온 일의 이야기가 겹쳐지며 길을 안내하기 때문이다.

하나의 일이 진행하면서 여러 내용의 이야기들이 함께 생긴다. A가 B로 된 일에서, B라는 결과뿐만 아니라 'A가 B가 된 이야기'라든지 'A가 B가 되어 좋다' 라든지 'A가 C가 되지 못한 이야기'라든지 하는 여분의 결과들이 같이 생긴다. 구체적인 결과 B는 뚜렷한 현실의 결과로 다음 일로 진행한다. 어떤 음식을 선택해서 먹었으면 소화 흡수 과정을 거쳐야 한다. 그런데 나머지 결과들은 이미 지나간 일에 대한 이야기로 현실에서 한 발짝 벗어나게 된다. 일과 이야기의 차이는 여기에서 발생한다.

일의 시도는 원래 이야기의 성격을 가지고 있다. 어떻게 진행하게 될지 아직 확정되지 않은 채 번져 나아가기 때문이다. 그렇지만 이때는 곧바로 실행될 수 있는 일 속의 이야기이다.

반면 일에서 분리된 이야기는 그 자체만으로는 구체적인 결과를 도출하지 못한다. 그래서 이야기라는 일은 발생한 조건이 갖춰질 때 다시 일어나거나(숙련됨, 습관, 기억, 예상 등), 때로는 욕구나 윤리나 계획처럼 발생한 조건을 일으키도록 일한다.

이야기는 작동하기 위한 조건이 필요하다는 결점이 있는 대신 현실의 휩쓸림에서 벗어나는 자유를 얻는다. 이야기는 현실에서 추상된 가상의 성격을 갖게 되어 현실보다 더 자유롭게 연결되고 변형되곤 한다. 때로는 추상에 추상을 거듭하면서 현실과는 동떨어진 상상이나 이상을 만드는 일을 할 수도 있다.

그러나 이야기는 구체적인 일의 시도에 내재되어 있는 성격에서 비롯된 것이므로, 세계는 스스로를 벗어날 수 있는 자유를 스스로 만든다고 할 수 있다.

“

청포도

이육사

내 고장 칠월은
청포도가 익어가는 시절

이 마을 전설이 주절이 주절이 열리고
먼 데 하늘이 꿈꾸며 알알이 들어와 박혀

하늘 밑 푸른 바다가 가슴을 열고
흰 돛단 배가 곱게 밀려서 오면

내가 바라는 손님은 고달픈 몸으로
청포를 입고 찾아 온다고 했으니

내 그를 맞아 이 포도를 따 먹으면
두 손은 함뿍 적셔도 좋으련

아이야 우리 식탁엔 은쟁반에
하이얀 모시수건을 마련해두렴*

”

* 이육사, 『이육사 시집』 22쪽, 범우사, 2019.

이야기 23. 리듬과 가치

봄은 뻗어나가고 여름은 번창하고

가을은 정리하고 겨울은 지킨다.

- 「황제내경 소문」 중 '사기조신대론' 중에서 -

주기적인 리듬은 우리 삶에서 중요한 부분을 차지한다. 특히 하루와 1년의 자연스러운 주기는 자연 활동, 생명 활동, 사회 활동 모두에 안정적인 변화로써 삶의 배경이 되어 준다.

생명 활동을 유지하기 위해서는 환경과의 교류가 필수적이라는 점에서, 지구의 주기적 변화는 생명의 일부라고도 할 수 있다. 1년과 하루의 에너지 변화는 대체로 생명이 감당할 수 있는 범위 안에서 이루어지고 있다. 지구 환경과 생명은 아주 특별한 일의 리듬을 만들고 있다.

생명에서 리듬이 중요한 이유는 삶 자체가 안정과 변화를 넘나드는 놀이의 성격을 가지고 있기 때문이다. 삶의 리듬은 역동적인 안정을 만들어 간다.

역동적인 변화는 기존의 질서와 안정을 깨뜨리게 된다. 그런 변화의 확장에서는 다시 생명으로 되돌아오지 못할 수도 있다. 반면에 규칙적인 안정 속에서 일어나는 일들은 전통의 지루한 반복으로 일의 새로운 시도라는 또 다른 의미를 잃어갈 것이다.

그래서 규칙적인 안정도 아니고 역동적인 변화도 아닌, 역동적인 안정의 리듬을 타는 놀이가 삶이라는 이야기의 주된 흐름이 된다.

일의 시도와 결과가 교대하는 리듬은 세계의 모든 일이 따르는 보편적인 리듬이다. 하루나 식사시간 같은 일의 내용상의 리듬은 있을 수도 없을 수도 있지만, 일의 형식상의 리듬은 모든 일에서 되돌아온다.

이런 차이점이 있지만 일에서 보편적인 리듬이 필요한 이유는 생명체에서 리듬이 중요한 이유와 닮아 있다. 이미 일어난 일은 되돌릴 수 없는 결과이면서, 그대로 머물지 않고 새로운 일을 시도해 간다.

일들이 확고한 결과로 마무리 되지 않는다면, 이것도 저것도 아닌 불확실한 성격으로 인해 일의 진행을 막을 것이다. 반대로 일들이 결과로 끝난 후 새롭게 시도되지 않는다면, 이것과 저것은 자신의 한계에 갇혀서 일의 진행을 막을 것이다.

다양한 시도와 확고한 결과라는 두 측면은 일이 진행하는 형식인 동시에 일이 지향하는 가치다. 일의 가치는 외부에서 주어지거나 별개의 원리로 정해지는 것이 아니라, 일의 진행 방식 자체에서 비롯되는 것이다.

다양함과 확고함은 서로 대립하면서 서로 의존하고 있다. 다양한 시도는 보존되어야 하고, 보존된 결과는 새롭게 쓰여야 한다. 그래야 일들은 새로움을 확실하게 다지면서 진행될 수 있다. 리듬에 따라 한쪽이 강조될 수 있지만 한쪽이 더 가치 있는 것은 아니다.

확고한 결과와 다양한 시도라는 일의 리듬은 다시 네 단계로 나눠 볼 수 있다.

먼저 어떤 뚜렷한 결과는 자체적으로 확장해 나가면서 새로운 일을 도모한다(펼침).

시작된 일은 가까운 일들과 만나면서 다양성은 확대되고 새로운 효과들을 발생시킨다(만남).

만나는 시도들의 내용에서 함께 실현하기 어려움이 쌓임에 따라 확장은 끝에 이른다(한계).

다양한 시도들 중 일부는 뚜렷한 결과가 되고 일부는 미완결된 시도로 남는다(결과).

그리고 결과들로부터 다시 다음 일들이 진행된다.

“

봄 3개월은 다시 뻗어나가는 계절로, 천지가 깨어나고 만물은 번영한다.

여름 3개월은 무성하게 번창하는 계절로, 천지의 기운이 교차하고 만물은 열매를 맺는다.

가을 3개월은 받아들여 정리하는 계절로, 하늘의 기운이 다급해지고 땅의 기운이 명쾌해진다.

겨울 3개월은 거두고 지키는 계절로, 물이 얼고 땅이 갈라지며 양기의 흔들림이 없다.*

”

* 『황제내경 소문』「사기조신대론(四氣調神大論)」 편에서 발췌 번역.

이야기 24. 도약하는 차원

'주체'는 항상 '자기 초월적 주체'의 생략형으로 해석되어야 한다.

- 화이트헤드 -*

일에 치이다가 갑자기 자유로운 시간이 생겼을 때 평소에 하고 싶었던 일을 하며 여유를 즐긴다. 편안한 휴식시간을 보낼 수도 있고, 보고 싶었던 사람들을 만나서 함께 시간을 보내기도 하고, 가보고 싶은 곳으로 훌쩍 여행을 떠나 새로운 만남과 추억을 만들기도 한다. 못보고 있던 드라마나 영화를 보기도 하고, 책을 읽거나 다양한 취미 활동도 할 수 있다.

자유를 활용하는 방향과 자유를 제한하는 방향에는 공통점이 있다. 이렇게 새로운 일이 일어날 수 있는 방향, 새로운 일이 향해 갈 수 있는 방향을 일의 연결 방향들 또는 일의 차원들이라고 할 수 있겠다.

역사상 많은 독재자들이 있었고 지금도 곳곳에서 다양한 방식으로 강요되는 부당한 억압들이 있다. 그들은 그 체제에서 벗어날 수 없게 이동을 제한한다. 그리고 시간을 빼앗아 체제를 위해 일하게 만든다. 취향의 자유는 무시되고 체제를 위한 것이 곧 선하고 좋은 것이 된다. 사상과 생각도 정해진 세계관으로 세뇌시킨다. 그리고 역사는 정당화를 위해 선별되고 수정되어 기록된다.

---

* 화이트헤드, 오영환 옮김, 『과정과 실재』 91쪽, 민음사, 1991.

그래도 그들이 알려주는 교훈이 있는데 우리가 가고자 하는 길이 어디를 향해 있는지를 절실하게 알려준다는 것이다.

강렬하지만 한계 안에 있던 뚜렷한 현실은, 일이라는 연결고리를 통해서 네 측면으로 한계에서 벗어나 도약한다.

먼저 뚜렷한 자리를 벗어나서 다른 일의 결과들과 만나는 '공간의 도약'을 한다. 세계는 단일한 일이 아니라 여러 일들의 모임이다. 다수의 다양한 일들이 각자만의 사적인 영역이 있어야 여럿일 수 있지만, 새로운 일을 위해서는 서로 만나야 한다.

새로운 만남은 새로운 사적 영역을 만드는데, 이렇게 새로운 사적 영역이 연달아 생기기에 간접적으로 공적인 공간이 발생한다. 우리 의식에 나타난 거시적 공간은 사실은 가까운 만남의 도약들을 거치며 발생한 효과이자 가상이다.

물론 그런 가상도 일의 일부로 세계에 존재하고, 우리는 가상의 차원으로도 도약할 수 있다. 의식에 나타난 공간은 정신이라는 사적 영역으로 수집된 정보들을 이용해 가상으로 재구성된 것이다. 일에서는 주어진 내용으로부터 관련된 내용으로 뻗어나가는 '상상의 도약'이 일어날 수 있다.

물질적인 일에서도 미약하지만 이런 상상으로의 도약이 있었기 때문에 우주는 원시 상태 그대로를 되풀이하지 않고 새로운 내용의 일들이 발생해 왔다.

현실의 뚜렷한 내용은 이럴 수도 저럴 수도 있는 희미한 내용으로 퍼져가고, 만남을 거듭하며 혼란은 점점 더 커져 간다. 이때 전에 없던 새로운 아이디어는 혼란 속에서 희미하게 등장한다. 물질적인 일에도 새로운 내용으로 도약할 수 있는 차원이 열려 있다.

일에서 새롭게 등장한 희미한 도약들이 현실적인 뚜렷함을 얻지 못한다면, 그저 어렴풋한 아이디어로만 남을 것이다. 일은 여러 다양한 시도들을 뚜렷한 결과 또는 못다 이룬 결과로 보존하며 다음 일을 도모한다.

결과에서 시도를 거쳐 새로운 결과를 맺는 것은 '시간의 도약'을 만든다. 희미하게 일어날 수 있는 미래를 뚜렷하게 일어난 것으로 만들고, 사라지는 과거를 기록한다.

일이 기록된다는 것은 뚜렷함으로서가 아니라 일이 그렇게 된 이야기로 남는다는 것이다. 그러나 기록된 이야기 또한 또 다른 차원의 결과로 다음 일을 도모한다. 역사의 기록들은 새로운 일들의 안내자 역할을 할 수 있다.

새로운 일은 기존 안내자의 도움을 받는 한편 다양함과 확고함이라는 기준에 따라 자체적으로 평가하고 선별하는 '미적인 도약'을 한다.

가치를 평가하는 미적인 도약은 일에 능동적인 성격을 도입하고 기록과 함께 안내자로서 역할을 한다. 미적인 가치평가는 지금의 일의 진행에서 생성된 효과이면서 일의 결과로 남아 다음 일에서 작용한다.

지난 일의 기록은 모든 시도에 대한 단순한 기록이 아니라 중요성에 따라 가치평가된 기록이다. 기록과 가치평가의 밀접한 관계는 생명체의 본능과 기억에서 추정해 볼 수 있다. 긍정적이든 부정적이든 강렬한 평가일수록 강렬하게 남아서 쓰인다.

일이 나아가는 이 네 가지 측면의 도약들은 인간적이고 의식적인 도약으로 나타나기 이전에도 있었던 원초적이고 무의식적인 일의 도약들이다. 돌에도 도약할 수 있는 차원이 있고 선택의 가능성이 있다. 다만 적극적으로 활용할 수 있는 준비가 안 되었을 뿐이다.

일의 차원은 시공간의 4차원만 있는 것이 아니다. 일에서 분리된 가상의 이야기 차원, 가상을 다시 뛰어넘는 상상의 차원, 평가를 통한 가치의 차원 모두 일을 통해 도약할 수 있는 차원들이다.

우리는 유한하면서도 무한한 차원에서 살고 있다. 시간의 끝자락에 있어도 다시 도약하기 때문에 시간의 한계를 경험하지 못한다. 마찬가지로 공간, 상상, 가치의 차원도 조건에 매달려서 한 걸음씩 다시 도약한다.

"

시간을 떠나서는 목적, 희망, 공포, 힘과 같은 것이 전적으로 무의미해진다. 역사적인 과정이 존재하지 않을 때, 모든 것은 지금의 그것, 즉 단순한 사실이 되고 말 것이다. 생명과 운동은 사라진다. 공간을 떠나서는 완성이라는 것이 있을 수 없게 된다. 공간은 도달의 정점을 표현한다. 그것은 직접적인 실현의 복합성을 상징한다. 그것은 사실로서의 성취이다. 시간과 공간은 우주를 이행의 정수와 성취의 매듭을 포함하고 있는 것으로 나타내 준다. … 마지막으로 신성이 있다. 그것은 중요성, 가치, 그리고 현실적인 것들을 초월하는 이상 등을 가능케 하는 우주 내의 요소이다. 우리 자신을 넘어서는 가치에 대한 감각이 생겨나게 되는 것은 바로 이러한 신성의 이상들과 공간적인 직접태들과의 연관에 의해서인 것이다.*

"

* 화이트헤드, 오영환 · 문창옥 옮김, 『사고의 양태』 205쪽, 도서출판 치우, 2012.

정선희

3장

내용이 펼치는 이야기

이야기 25. 내용 끼워 넣기

생각은 바이러스와 같아서 탄력적이고 감염되기도 쉬워.
심지어 아주 작은 생각의 씨앗이라도 자랄 수 있어.
그것은 자라서 당신을 정의하거나 파괴할 수도 있지.

- 영화 《인셉션》 중에서 -

영화 《인셉션》은 어떤 사람의 꿈속으로 들어가 그의 생각을 무의식적으로 조종하여 현실을 바꾸려고 하는 줄거리로 진행된다. 그러나 꿈속의 꿈, 다시 그 꿈속의 꿈으로 들어가면서 어떤 것이 꿈이고 어떤 것이 현실인지 등장인물들도 관객들도 구분하기 힘든 상황이 된다.

이런 상황을 대비해서 주인공 코브(레오나르도 디카프리오 배역)가 꿈과 현실을 구분하는 방법이 있는데, 작은 팽이를 돌려서 계속 돌면 꿈이고 결국에 쓰러지면 현실이다. '팽이가 도는가 쓰러져 멈추는가' 처럼 간단한 구분이 현실에서도 매우 중요한 역할을 하는 경우가 있다.

어떤 작고 희미한 신호를 감지하는가 못하는가에 따라 기계가 작동하거나 작동하지 않거나 할 수 있다. 숫자 하나가 틀려서 거액의 손해를 입을 수도 있고, 0.1mm의 크기 차이로 처음부터 다시 만들어야 할 수도 있고, 암호를 아는 것과 모르는 것은 결정적인 차이가 될 수 있다.

일의 내용을 구분할 수 있다는 것, 그것이 꿈이나 이야기일지라도 내용이 구분된다는 것은 일의 진행에서 중요한 요소가 된다. 일에서 작은 내용의 구분과 그 구분이 어떤 의미(이 내용과 연결된 이야기의 구분)를 담고 있는지를 해석하는 것은 다시 일의 진행에 영향을 준다.

일에 대한 이야기, 그리고 그 이야기에 대한 이야기, 그리고 …, 이렇게 쌓여 있는 일과 이야기의 겹침이 있다. 《인셉션》은 무의식적으로 겹쳐진 이야기에 의도적으로 어떤 내용을 끼워 넣어 원하는 방향으로 일을 진행시키고자 하는 이야기다.

《인셉션》은 기상천외한 상상력으로 만든 재미있는 SF 영화이지만, 꿈을 겹쳐진 이야기로 해석하면 너무나 현실적이고 섬뜩한 영화로 다가온다. 겹쳐진 이야기들은 우리가 그동안 살펴보았던 일의 진행 방식에서 중요한 역할을 담당하는 가상의 일이다. 그래서 생명체를 '일을 흘려보내지 않고 이야기로 엮어서 활용하는 일의 모임' 으로 정의했다.

게다가 누군가가 만든 언어들 또는 무의식적인 이미지들로 내 삶의 이야기들의 많은 부분이 채워져 있고, 매일매일 새로운 끼워 넣기가 시도되고 있다. 겹쳐진 이야기들은 삶의 든든한 안내자일 수도 있고, 교묘한 사기꾼 또는 파괴자일 수도 있으며, 자신도 모르게 침입해서 행동으로 나타날 수 있다.

프로이트는 무의식적으로 끼워진 내용이 작동하는 과정을 많은 사례들을 통해 알려주었다. 상점 공포증으로 찾아온 엠마의 사례*에서, 8살 때 상점에서 의미를 모르고 넘어간 성추행 사건이, 시간이 지나면서 어떻게 변형되어 나타날 수 있는지를 볼 수 있다.

엠마는 12살에 옷가게에 갔다가 남자 판매원이 자기를 보고 웃는 모습을 보고, 갑자기 이유를 모를 심한 공포를 느끼고 돌아와 2주 동안 앓아누웠다. 이후 엠마는 혼자서는 가게에 가지 못하는 증상이 생겼고 커서 프로이트를 찾아왔다. 엠마는 프로이트와의 오랜 상담 과정에서 잊혔던 8살 때 상점에서 있었던 성추행 사건을 떠올리게 되었는데, 이때 가해자의 웃음이 커서 만난 판매원의 웃음과 겹쳐지면서 공포심을 일으킨 것으로 추정된다.

일어나버린 성추행 사건은 엠마가 그 이야기의 의미를 알지 못하고 잊혔다고 해서 그냥 없어지지 않았다. 의미를 알았다면 일의 진행은 달라졌겠지만 의미를 몰라도 일의 결과로 남았다가, 나중에서야 무의식적으로 연결되어 상점 공포증 같은 일을 일으킨 것이다.

그러나 무의식의 이야기는 오이디푸스 컴플렉스 같은 특정한 틀에 갇히지 않는다. 일과 이야기의 모임에서 명확한 경계나 순수한 영역은 없다. 의식의 영역이 알지 못하는 사이에 무의식의 침범을 받듯이, 무의식도 수많은 일들과 영향을 주고받으며 새로운 일을 같이 시도한다.

---

* 서동욱 『들뢰즈의 철학』 2장(차이의 논리: 데리다의 차연과 들뢰즈의 차이 자체, 프로이트의 사후성)과 이민용 「내러티브를 통해 본 정신분석학과 내러티브 치료」(『문학치료연구』 25권)를 참고함.

“

‘넛지’라는 용어는 어떤 선택지를 금지한다든가 선택지에 딸린 경제적 보상을 크게 바꾼다든가 하지 않고 사람들의 행동을 예측 가능한 방식으로 이끄는 선택 설계의 특정한 측면이다.*

두 가지 오해 가운데 첫 번째는 사람들이 어떤 선택을 할 때 외부의 영향을 차단할 수 있다고 믿는 것이다. 어떤 기관이나 대행자는 몇몇 다른 사람들의 행동에 영향을 주는 선택을 필연적으로 하게 된다. 수많은 상황에서 그렇다. 이런 상황에서는 어떤 방향으로 작용하는 것이든 넛지가 있을 수밖에 없다. 이런 넛지들이 사람들이 선택에 영향을 준다는 말이다. 결국 선택 설계는 피할 수 없는 것이다.**

”

* 리처드 탈러 · 캐스 선스타인, 이경식 옮김, 『넛지: 파이널 에디션』 35쪽, 리더스북, 2022.
** 같은책 41쪽.

이야기 26. 그렇게 일어나는 일과 이야기

겨울이 다가오자, 작은 들쥐들은 옥수수와 나무 열매와 밀과 짚을 모으기 시작했습니다. 들쥐들은 밤낮없이 열심히 일했습니다.

단 한 마리, 프레드릭만 빼고 말입니다.

"난 춥고 어두운 겨울날들을 위해 햇살을 모으는 중이야."

"난 지금 이야기를 모으고 있어. 기나긴 겨울엔 얘깃거리가 동이 나잖아"

- 동화 「프레드릭」 중에서 -*

우리는 만들어진 이야기를 참 좋아한다. 동화, 소설, 만화, 영화, 드라마, 노래, 전설 등등 많고 많은 이야기들이 있다. 그리고 흥미로운 이야기들은 언제나 다시 만들어져 들려온다.

사실에 바탕을 둔 이야기들도 뻔한 이야기에서부터 심각한 이야기, 감동적인 이야기, 충격적인 이야기처럼 각양각색으로 생겨나고 있다.

우리들은 모두 동화 속 주인공 프레드릭처럼 이야기를 모으고 있다. 신기하게도 그 많은 일들이 지나가버렸지만 이야기는 여전히 남아 있다. 그리고 이야기는 수집품으로만 남는 것이 아니라 일들이 일어나는 데에 다시 쓰인다.

---

* 레오 리오니, 최순희 옮김, 『프레드릭』에서 발췌, 시공주니어, 1999.

역사를 배울 때 흔히 지난 일들을 통해서 미래를 대비할 수 있다고 말한다. 역사는 지나간 일들이 남긴 이야기들이다. 지나간 일들은 각각 단 한 번 일어났지만, 남겨진 역사는 언제 어디서든 많은 사람들이 이야기의 형태로 공유할 수 있다.

일은 그때 그곳에서 그렇게 일어난다. 일이 이야기가 될 때 '그때 그 곳에서'는 빠져도 되지만, '그렇게'는 어떻게든 남아야 한다. 이야기는 '그렇게'를 주로 전하고 전할 수 있다.

100년 전에 어떤 일이 실제로 일어났을 때 기록만 잘 되어 있다면, 그 옆 동네에 살던 사람에게 전해진 이야기나 지금까지 전해진 이야기나 큰 차이가 없을 수 있다. 오히려 그 당시에는 별 일 아닌 것으로 지나쳤지만, 지금에는 아주 중요한 일로 여겨지는 일도 있다.

역사를 배우고 활용한다는 것은 '그렇게' 일어난 일을, '또 그렇게' 되풀이 하거나 또는 '그렇지 않게' 방향을 조절하는 것이다. 이야기는 일에서 '그렇게'를 위주로 만든 가상이다. 가상이기 때문에 전달하기 쉽고, 또 배우고 활용할 수 있다. 이야기를 통해서 각각의 일들은 시간과 공간을 뛰어넘어 이어진다.

이야기는 변형되기 쉽다. '그렇게'가 전해지면서 '매우 그렇게', '그럴려고', '그리하여', '그럴듯하게' 처럼 약간씩 바뀔 수도 있고, 아예 '이렇게 저렇게' 변형시킬 수도 있다.

그래서 하나의 일을 둘러싸고 수많은 이야기들이 만들어질 수 있다. 이야기를 통해서 일어난 일은 일어날 수도 있는 일, 일어났으면 하는 일, 일어나면 안 되는 일로 이어질 수 있다.

이야기들은 서로 잇고 겹치기 쉽다. 반복되는 일들은 겹쳐져서 뻔한 이야기가 될 수 있고, 현실에서는 이어지기 힘든 일들이 상상의 이야기로 이어질 수 있다. 그래서 언제든지 새로운 소설이나 노래가 나왔고, 이야기를 만들고 들려주는 방법도 새로워진다.

인류 역사는 이야기를 만들고 공유해온 역사다. 관습이나 문화나 제도도 이야기의 형태로 공유되고 강화되어 작동한다. 인류가 이야기를 쉽게 만들고 공유할 수 있었던 것은 편리한 언어가 있기 때문이다.

그러나 인간의 언어가 있기 전에도 이야기는 만들어지고 전해졌다. 감각은 주변에 대한 이야기이고 본능은 이끌려가는 이야기다. 자연의 일과 이야기에도 '그렇게'는 중요한 요소다. 법칙은 특정한 조건이 그렇게 갖춰지면 어김없이 다시 그렇게 일어나는 이야기다.

자연에도 일과 이야기를 구분할 수 있는 내용을 표시하는 자연의 언어가 있다. 그런 구분도 넓은 의미의 언어라고 말할 수 있는 이유는 여러 일들과 이야기들을 각각 '그렇게' 구분 짓고 전하는 역할을 하기 때문이다. 그래서 나눠진 여럿도 그러한 내용을 전하고 공유하는 일을 통해 간접적으로 하나가 될 수 있다.

"

종래의 우주 역사는 에너지에 많은 관심을 둔다. 얼마나 많이 있는가? 어디에 있는가? 무엇을 하고 있는가? 대조적으로 이 책에서는, 우주의 물리적 역사의 주인공은 정보다. 궁극적으로 우주에서 정보와 에너지는 서로 보완적인 역할을 한다. 에너지는 물리계가 일을 하도록 한다. 정보는 무슨 일을 할지 말해준다.*

"

"

정보의 비는 끊임없이 우리 위로 내리고 있다. 그 빗속에는 인공적으로 생산된 정보, 즉 컴퓨터와 정보기술의 산물인 사이버-내용만 있는 것이 아니다. 더 쉽게 확인할 수 있으며 마찬가지로 방대한 부분을 차지하는 것은 바로, 자연적인 정보의 비이다. 우리는 안테나를 세우는 수고를 할 필요도 없이 단지 눈을 뜨기만 하면 된다. 주위의 풍경을 한번 생각해 보라. 주위를 둘러볼 때 당신이 보는 것은 엄청난 양의 정보이다.**

"

* 세스 로이드, 오상철 옮김, 『프로그래밍 유니버스』 66쪽, 지호, 2007.
** 한스 크리스천 폰 베이어, 전대호 옮김, 『과학의 새로운 언어, 정보』 26쪽, 승산, 2007.

이야기 27. 말 없는 이야기

> 우리는 어찌 하면 말을 잊은 사람들과
>
> 더불어 얘기할 수 있게 되겠는가
>
> \- 장자 -

지금까지는 주로 일과 이야기(가상의 일)라는 개념을 중심으로 세계의 공통적인 진행 형식에 대해서 주로 생각해 보았다. 이것은 좋게 보자면 하나로서의 세계가 가능한 공통의 기반을 찾는 것이었지만, 나쁘게 보자면 수많은 다양성을 무시하고 단순화하고 획일화한 것이다.

'세계는 일들의 모임이다', '세계는 기로 이루어져 있다', '세계는 원자들의 모임이다', '모든 것은 마음먹기에 달려 있다', '모든 일은 정해진 법칙에 따라 일어나게 된다' 같은 일반화된 이론들은 복잡한 세계에 대한 이해를 돕는 통찰이 들어 있지만, 지나친 생략으로 인한 오해도 함께 들어 있다. '얻는 게 있으면 잃는 것도 있다'는 것도 빼놓을 수 없는 통찰인 것 같다.

일과 이야기라는 개념은 수없이 많고 다양한 사례들에서 공통으로 들어 있다고 생각되는 형식적인 측면을 추상한 개념이다. 그러나 한편으로 아주 단순한 생명체들도 일과 이야기의 상호작용으로 살아가고 있다는 주장 또한 여러 차례 강조했다.

일반화된 이론과 관련해 가장 오해하기 쉬운 점은, 그것이 고도의 사고 능력을 통해 추상적인 언어들로 만들어 진다고 생각하는 것이다. 이 오해는 일과 이야기, 물질과 생명, 몸과 마음, 사례와 법칙, 실제와 이론이 어떻게 함께 작동하는지 이해하기 어렵게 만든다.

일반화된 이론은 삶과 분리되거나 거부할 수 있는 성질의 것이 아니다. 그것은 생명체의 삶에 본능적인 요소로 포함되어 있다. '주어진 상황을 수용하고 대처하는 생존의 방식'이 일반화된 이론의 뿌리가 된다.

그러한 방식들은 이야기라는 가상의 일의 형태로 구체적인 물질들과 함께 생명체를 구성하고 있다. 그렇다면 무의식적인 이야기들은 어떻게 남아서 작동하는 것일까?

수많은 이야기들이 있지만 각각 다양한 특징들을 가지고 있다. 이야기를 다양하게 만드는 특징들이 있다. 그 특징들은 이야기들을 서로 다르게 만들기도 하고 비슷하게 만들기도 한다.

지금 일어나는 어떤 일의 특징은 전에 겪은 다른 일의 비슷한 특징을 떠올리게 하면서 지난 경험을 참고하여 반응하게 한다. 서로 떨어져 있던 일과 이야기가 관련된 일과 이야기로 만날 수 있는 것은 공통의 특징이 있기 때문이다.

이야기는 일과 다른 것이 아니라 일의 진행에서 바로 쓰이지 못한 일의 요소들이 남은 것이다. 이야기는 일에서 한 발 벗어난 일인 것이다. 그래서 이야기를 구성하는 특징들은 일의 특징들과 다를 바 없다.

'불에 닿았더니 뜨거웠다'라는 경험이 있었을 때, 몸에 남은 화상과 함께 '불의 뜨거움에 대한 강한 거부감'이 같이 남았다고 하면, 그 거부감은 강렬한 결과로 발생했지만 당장 쓰이지 못한다. 그렇지만 거부감은 없어지는 것이 아니라, 다음에 불에 가까워질 수 있는 상황이 되면 강한 두려움 또는 회피 반응으로 쓰이게 된다.

이때 '불의 뜨거움에 대한 거부감'은 어떤 형태로 남아 있다가 다시 작동하게 될까? 뇌의 어딘가에 기억으로 남을 것이라는 말은 너무 막연하다. 본능적인 회피나 끌림, 그리고 단기 기억은 신경계가 없는 생물에서도 발견된다. 그리고 뇌에 있는 신경세포도 특수한 세포일 뿐이다.

'불의 뜨거움에 대한 거부감'에서 '불'은 실제의 불은 아니다. 이것만으로 뜨거운 불을 만들 수는 없다. 이 특징은 실제적인 일의 특징에서 많은 부분이 생략된 것이지만 분명 실제적인 특징에서부터 분리되어 나온 것이다.

그것은 일부만이 분리되었기 때문에 불의 전체 특징(또는 불에 대한 경험의 특징)은 아니지만, 그렇다고 실제 특징과 전혀 다른 성질의 특징은 아닌 것이다. 그래서 다음에 비슷한 상황에서 자동적으로 작동할 수 있는 것이다.

실제적인 일과 가상의 일인 이야기는 이렇게 공통의 특징들을 바탕으로 분리되기도 하고 다시 합쳐지기도 한다. 분리된 특징들은 그 자체만으로는 실제적인 일을 일으킬 수 없고 그렇다고 없는 것은 아니기 때문에 그것을 가상의 상태로 볼 수 있다. 그 가상을 우리가 알면 그 쓰임이 달라질 수 있겠지만 알지 못한다고 없어지지는 않는다.

실제적일 일도 가상의 측면이 있다. 일은 확정적인 상태의 연속으로 진행되는 것이 아니라, 불확정적인 시도와 확정적인 결과의 리듬으로 진행된다. 일의 시도에서 특징들은 새로운 효과들을 발생시키며 불확실하게 번져 나간다. 이때 일의 시도는 실현에 가까운 가상이 된다.

일과 이야기는 별개의 일이 아니고, 일 속의 특징과 이야기 속의 특징은 별개의 특징이 아니다. 그래서 물질과 생명, 사례와 법칙, 현실과 기억, 실제와 이론이 의식적이건 무의식적이건 같이 작동할 수 있게 된다.

이러한 일 속의 다양한 요소를 앞으로는 '특징'이라는 말보다는 주로 '내용'이라고 부르려 한다. 고유함을 강조하기 위해 특징이라는 말을 썼지만, 일 속의 특징은 고유함에 머물지 않고 다른 특징으로의 전개를 끊임없이 시도한다. 특징의 전개나 진행보다는 내용의 전개와 진행이 더 어울리기 때문에 내용이라는 말을 선택했다.

내용은 아리스토텔레스에게 있어서 질료를 구체화하고 특징적으로 만드는 '형상'처럼 일과 이야기를 바로 그러한 특징으로 규정하는 요소들을 말한다(그러나 일은 질료의 유연한 성격과 함께 적극적인 활동성이 포함된 개념이다).

아무런 내용이 없는 일과 이야기는 있을 수 없기에 일과 내용은 질료와 형상처럼 떨어질 수 없는 관계에 있다. 그래서 내용을 함께 말하지 않는 일과 이야기는 실제와는 거리가 먼 추상적인 개념이 맞다.

내용은 다름의 기준이면서, 같음의 기준이기도 하고, 또 변화의 기준이기도 하다. 그러나 다름과 같음을 판단하는 것은 일이고, 변화를 일으키는 것도 일이다. 내용은 일의 중요한 요소로 일 안(內)에 언제나 포함되어 있다.

“

통발이란 것은 물고기를 잡는 기구이지만, 물고기를 잡고 나면 통발을 잊게 된다. 올가미란 것은 토끼를 잡는 기구이지만 토끼를 잡고 나면 올가미를 잊게 된다. 말이란 것은 뜻을 표현하는 기구이지만 뜻을 표현하고 나면 말을 잊게 된다. 우리는 어찌 하면 말을 잊은 사람들과 더불어 얘기할 수 있게 되겠는가?*

”

* 장자, 김학주 옮김 『장자』 661쪽 「외물」편 중에서, 연암서가, 2010.

이야기 28. 내용들의 짝짓기

기쁨은 더 작은 완전성에서 더 큰 완전성으로 이행하는 것이다.
슬픔은 더 큰 완전성에서 더 작은 완전성으로 이행하는 것이다.

- 스피노자 -

일은 언제 어디서나 일어나기 때문에 중요하게 다가오지 않을 수 있다. 일의 공통된 형식은 세계의 배경으로 깔려 있다. 중요하게 다가오는 것은 '어떤 내용'의 일이 일어나는가의 문제이다.

일의 내용들이 서로 적당한 거리를 두고 만나고 헤어진다면 적어도 크게 문제되는 일을 일으키지는 않을 것이다. 그러나 내용은 다양한 모양과 색깔의 기본 조각들 같은 것이 아니다. 내용들은 일에서 서로에게 파고들어 크고 작은 문제를 일으키는 침입자가 될 수 있다.

물질들이 만나서 상호작용하고 변화하는 일들과 사람들이 만나고 소통하며 일어나는 일들을 자세히 살펴보면, 결국에는 내용들이 만나고 생겨나고 변화하는 과정으로 이해할 수 있다. 일은 일어날 뿐 변화하지 않는다. 변화하는 것은 일의 내용이다.

어떤 일에 이어지는 다음 일은 변화한 일이 아니라 다른 일이다. 일의 내용은 이어지는 다른 일에서 같은 내용으로 반복될 수도 있고, 다른 내용으로 변화할 수도 있다. 그래서 보다 정확히 표현하자면 같은 일이나 이야기가 반복해서 일어나는 것이 아니라 같은 내용의 일과 이야기가 다시 일어나는 것이다.

일은 내용 이외에도 다른 일들과의 관계에서 차지하는 자리로 구별된다. 그래서 같은 내용의 일들도 각각의 고유한 자리를 차지해서 일어나고, 많은 일들의 자리와 관계가 거시적인 시공간을 만든다.

내용은 고유한 특징을 차지하지만 특정한 자리에 제한되지는 않는다. 그래서 여러 일에서 반복해서 나타날 수 있다. 그러나 내용이 나타나고 변화하고 반복되는 것은 일에 포함되어 현실적인 힘을 갖고 있기 때문이다.

추상적으로는 무한히 다양한 내용들이 한꺼번에 존재한다고도 할 수 있다. 그런데 특정한 자리에 다양한 내용들 중에서 바로 그 내용이 구체적으로 나타나서 작동하는 것이 거부할 수 없는 현실세계다.

각각의 특징을 갖는 일의 내용들은 마주칠 수도 있는 상황에서 빛과 공기처럼 서로 상관없이 지나칠 수도 있고, 자외선과 피부처럼 서로 파고들어 변화하거나 파괴할 수도 있고, 적혈구와 결합한 산소처럼 서로 공존하면서 또 다른 효과를 발생시킬 수도 있다.

각각의 내용들이 고유한 특징을 갖고 있으므로, 내용들의 만남과 변화에도 고유한 진행 특징이 있게 된다. 그래서 내용들 사이의 상호작용이 일과 이야기의 진행에서 중요한 역할을 하고 있다.

내용상의 특징 때문에 서로 다른 일들이 만나서 새로운 일을 진행할 수 있고, 내용상의 공통점 때문에 일과 이야기가 만나서 같이 일할 수 있게 된다.

이렇게 봤을 때 일은 내용들의 짝짓기라고 할 수 있다. 짝이 될 수 없는 사이가 있고, 서로 부딪히고 방해하는 짝이 있고, 결합되어 새로운 내용을 낳는 짝이 있다.

그런데 두 내용들 사이의 관계는 고유하고 일정하다고 해도, 언제든지 다른 내용이 추가될 수 있기 때문에 내용들의 짝짓기는 한없이 다채로워질 수 있다.

내용들이 일을 통해 만나고 변화하고 새로운 내용을 끌어들여 왔다는 것을 우주의 역사에서 확인할 수 있다. 혼돈 속에서 생긴 물질, 물질들 사이에서 생긴 생명, 그리고 사회와 문화에 이르기까지 새로운 내용들과 새로운 조합이 일을 통해 쌓여 왔다.

끊임없이 일어나는 일들이 헛수고로 사라지지 않는 것은, 지난 일들이 만든 확고하면서 다양한 내용들이 결과로 남겨지기 때문이다. 생존이라는 베이스캠프를 확고하게 다지면서 새롭고 이로운 내용을 발생시키는 행복을 향한 우리 의지와 정서는, 일에서 생기는 기초적인 내용들의 짝짓기에 그 씨앗이 내재해 있다.

"

우리 신체의 활동 능력을 증대시키거나 감소시키거나 또는 촉진시커거나 방해하는 모든 것의 관념은 우리의 사유 능력을 증대시키거나 감소시키거나 또는 촉진시키거나 방해한다. …

우리들은 정신이 큰 변화를 받아서 때로는 한층 큰 완전성으로, 때로는 한층 작은 완전성으로 이행할 수 있다는 것을 안다. 이 수동은 우리들에게 기쁨과 슬픔의 정서를 설명해 준다. 그러므로 나는 아래에서 기쁨을 정신이 더 큰 완전성으로 이행하는 수동으로 이해하지만, 슬픔은 정신이 더 작은 완전성으로 이행하는 수동으로 이해한다. 더 나아가서 나는 정신과 신체에 동시에 관계되는 기쁨의 정서를 쾌감 또는 유쾌함이라고 하지만, 슬픔의 정서는 고통이나 우울함이라고 한다. 그러나 다음과 같은 점을 주의해야 한다. 즉 인간의 어느 부분이 다른 부분보다 자극을 많이 받을 때 쾌감과 고통이 인간에게 관계하지만, 인간의 모든 부분이 자극을 받을 때는 유쾌함과 우울함이 인간에게 관계한다. 다음으로 욕망이 무엇인지에 관해 나는 제3부의 정리 9의 주석에서 설명하였다.* 나는 이 세 가지 이외의 어떤 다른 기본적인 정서도 인정하지 않는다. 왜냐하면 나머지 정서는 다음에서 밝혀지겠지만, 이 세 가지 정서에서 생기기 때문이다.**

"

* 스피노자는 '욕망'을 자신의 지속에 유익한 것을 추구하는 인간의 의식적 충동이라고 말한다.

** 스피노자, 강영계 옮김, 『에티카』 166쪽, 서광사, 2007.

이야기 29. 기어코 일어나는 일

물리학은 시간과 공간에서 유령 같은 원격 작용에
의존하지 않고서도 실재를 표현해야만 하오.

- 아인슈타인 -

우리가 알고 있는 전자는 음의 전하를 지닌 소립자이고, 질량이나 스핀 같은 내용들을 같이 가지고 있다.* 각각 음의 전하를 가지고 있는 전자들은 서로 전기적인 힘에 의해 밀어내게 되는데, 만약 두 개의 전자가 같은 자리에 있게 되는 상황이 되면 스핀이 서로 반대되는 상태가 된다.

이렇게 스핀이 반대인 관계가 생긴 두 전자가 다시 떨어지게 되었을 때에도, 스핀에 영향을 받는 일이 다시 생기기 전까지는 반대인 관계가 유지된다. 여기까지는 상식적으로 받아들이기 어렵지 않은 일의 진행이다. 문제는 양자역학에 의하면 스핀이 반대인 것은 결정되어 있지만, 각 전자의 스핀이 어떤 방향을 향하는지는 결정되지 않았다는 것이다.

아인슈타인은(동료인 포돌스키, 로젠과 함께) 양자역학에서 주장하듯이 확률적이고 비결정적인 상태가 즉각적으로 연관되어 결정된다면, 서로 까마득히 멀어진 두 소립자의 상태가 아무런 상호작용 없이 서로 연관되어 결정되는 말도 안 되는 일이 일어난다고

* 전하, 질량, 스핀이 각각 따로 발견되지는 않기 때문에, 서로 다른 내용이 아니라 같은 내용의 다른 측면일 수도 있다.

논문으로 지적하였다. 서로 멀리 떨어진 이후에 한 전자의 스핀이 결정되는 순간, 다른 전자의 스핀이 동시에 반대로 결정되는 이상한 결론이 나온다는 것이다.

상식적인 면에서는 아인슈타인의 주장이 더 설득력이 있다. 비유적인 예를 들자면, 냉면 식당에 가면 서로 반대로 주문해서 같이 먹는 두 사람이 있다고 해보자. 한 사람이 물냉면으로 결정하면 자동으로 다른 사람은 비빔냉면으로 결정한다. 그런데 어느날 점심에 떨어지게 되어 각자 다른 냉면 식당에 갔는데, 그때도 어김없이 한 사람이 물냉면이면 다른 사람은 자동으로 비빔냉면으로 결정된다고 하면 이상하지 않은가?

그렇지만 이 말도 안 되는 유령 같은 일이 훗날의 실험(실험은 빛의 편광을 활용하였다)에 의해 확인되었다. 위에서 예를 든 두 전자에서 스핀이 서로 반대인 관계는 서로 가까이 있을 때만 영향을 주고받는 것이 아니라, 서로 멀리 떨어지더라도 즉각적인 영향을 주고받아 결정된다. 이런 현상을 양자 얽힘이라고 한다.

이 두 전자에게 일어난 일들을 일과 내용의 발생과 전개라는 관점에서 다시 따라가 보자. 사실 아무리 단순해 보이는 일이라도 그 세세한 요소들을 모두 분석하는 것은 불가능하다. 그나마 덜 헤매기 위해서 시도와 결과의 리듬, 일들의 모임, 일의 내용을 구분하는 것이 유용하다.

우리가 배운 일반적인 '전자'는 내용들의 단짝이다. 전자는 미세한 소립자지만 여러 내용들이 포함되어 있는 것으로 보인다. 그리고 이 '내용들이 짝을 이루는 효과' 도 각각의 내용과는 다른 새롭게 발생한 내용이 된다. 그래서 이 특징적인 내용들이 뭉쳐서 다니기 때문에 '전자' 라는 이름을 붙여서 배우게 되었다.

일반적인 전자 말고 어떤 구체적인 전자를 말한다면, 전자라는 내용의 짝을 기준으로 본 일의 순차적인 모임이라고 할 수 있다. 전자는 다른 소립자들과 만나며 여러 일들을 겪지만 내용의 짝을 유지하는 경우가 많다.

유지되는 전자를 일의 모임이라고 할 수 있는 이유는 전자를 유지하는 시도 이외에 다른 시도들을 같이 하고 있지만, 전자라는 내용의 결과는 되풀이해서 돌아오기 때문이다. 시도와 결과라는 일의 리듬을 반복하고 있는 것이다.

우리는 구체적인 전자로서의 '일의 모임' 을 추상적인 전자로서의 '내용의 짝' 과 동일시하기 쉽다. 그래서 전자라는 유지되는 명사가 겪는 동사로서의 일을 떠올리게 되는 것이다. 그러나 구체적인 전자는 어느 순간에도 일정한 명사로 머무르지 않고 새로운 짝짓기를 시도한다.

일의 모임은 기준에 따라 다르게 묶어 볼 수 있다. 앞에서 예를 든 두 개의 전자는 '서로 반대의 스핀을 갖는 두 전자' 라는 일의 구성원이 된다. 이 모임은 두 전자가 같이 있는 일을 시도하면서 새롭게 발생한 내용에 따라 형성되었다. 이 내용이 다음 일을 시도하며 쓰일 때까지 모임은 계속된다.

두 전자는 같은 자리에서 스핀의 방향을 다양하게 시도하지만, 서로 반대되는 방향으로 시도된다. 두 전자가 다시 떨어지게 되는 결과를 맺더라도, 같이 시도되던 스핀의 방향은 아직 결과를 맺지 않고 계속 연관되어 시도되는 상태에 있다. 그러다 스핀의 방향이 쓰이게 되는 순간이 오면 뚜렷한 결과로 나타난다. 이 결과 이후에는 반대 스핀이라는 내용은 쓰여 없어지고 모임은 끝난다.

'두 전자의 스핀 얽힘' 은 유지되는 전자라는 긴 여정에 비하면 잠시 스치며 발생한 내용이다. 그것은 "다음에 밥 한 번 먹자"라는 영혼 없는 약속처럼 잊힐 만도 한데, 아무도 모르게 남아서 기어코 결과를 남기고 있었다.

사실 전자라는 내용도 원래부터 있었던 내용들이 아니다. 전자는 일에서 발생한 내용들이 단짝을 이루고 반복되면서 남게 된 것이다. 원자들도 그렇고 사물들도 그렇다. 그러나 이런 반복되는 내용들 말고도 일에서는 여러 가지 다양한 내용들이 만들어지고 다음 일에서 쓰이고 있다.

그리고 얽힘 현상처럼 일의 진행이 시공간의 상식을 뛰어넘는 것은, 일이 시공간이라는 배경에서 생기는 것이 아니라 여러 일들의 진행이 시공간을 형성하기 때문이다.

“

아인슈타인은 보어의 “주술적 힘”과 “유령 같은 상호작용”을 비웃었다. … “나는 결코 신이 주사위를 던지거나 텔레파시적 장치를 사용한다고 믿지 않는다.” 그는 보른에게 “물리학은 시간과 공간에서 유령 같은 원격 작용에 의존하지 않고서도 실재를 표현해야만 하오”라고 말했다.

EPR(공동 저자인 아인슈타인, 포돌스키, 로젠의 앞자를 따서) 논문은 양자이론의 코펜하겐 해석(보어, 보른, 하이젠베르크의 입장)과 객관적인 실재의 가능성이 서로 양립할 수 없다는 아인슈타인의 견해를 밝힌 것이었다. 보어는 “양자 세계는 실제로 존재하지 않는다. 추상적인 양자역학의 설명이 있을 뿐이다”라고 주장했다. 코펜하겐 해석에 따르면, 입자들은 독립적인 실재를 가지고 있는 것이 아니고, 관찰되지 않을 때에는 물리량도 가지지 않는다.*

”

* 만지트 쿠마르, 이덕환 옮김, 『양자 혁명: 양자물리학 100년사』 353~354쪽, 까치, 2014. (괄호 내용은 이해를 돕기 위해 추가함)

이야기 30. 미제 사건들

「주역」 미제괘

불이 물 위에 있는 것은 양자가 이미 분리된 상태로, 물은 물대로 불은 불대로 따로 놀아 서로 교류되지 못한다. 이렇게 되면 아무것도 이루지 못하니, 지혜로운 자는 사물의 속성을 잘 살펴 무언가를 이루는 방향으로 재조정해야 한다.*

일의 모임은 중요한 내용의 발생과 전개를 기준으로 나눌 수 있다. 예를 들어 어떤 갑작스러운 교통사고라는 사건이 발생했다고 하자. 자동차들은 부서지고 탑승자들도 피해를 입는다.

당사자, 보험사 직원, 카메라, 목격자, 경찰이 동원되어 사건을 재구성한다. 서로의 잘잘못을 따지고, 차를 고치고, 다친 부위를 치료받는다. 이렇게 일이 진행되면서 교통사고라는 일의 모임이라는 성격은 점차 희미해져 간다.

그런데 뺑소니 사고에서 일은 어떻게 진행될까? 교통사고 이후의 진행에서 결정적인 역할을 하는 과실비율은 판단하는 사람들이 있어야만 작동할 수 있는 것일까?

일의 내용이라는 것은 일에서 자리 이외의 구분되는 요소이다.

---

* 신원봉 옮김, 『주역』 64번째 미제괘 해설 중에서, 올재, 2019.

그것은 어떤 사고를 '자연재해' 또는 '교통사고'로 구분할 수 있게 하는 것들이다. 자연에 대해 자세히 알아갈수록 자연에는 책임을 물어야할 내용이 없다는 것을 확인하게 된다. 하지만 과실비율에는 자동차를 누가 그렇게 움직이게 했는가에 관한 구분되는 내용이 담겨 있다. 그것은 세세한 내용(사람이 의도하고 실행하는 일은 어떻게 일어나는가와 같은 과학적으로 복잡한 내용)을 분석하지 못한다 할지라도 엄연히 발생한 일의 내용이다.

뚜렷하게 존재하고 작동한다고 생각하는 내용의 예를 들어보자. 물리학에 따르면 '확고해 보이는 사물들'은 사실상 대부분 비어 있고, 지난 우주의 역사를 거치며 만들어진 특징을 담고 있으며, 상황에 따라 그 특징은 다시 없어지게 된다.

'지각하고 생각하는 나'는 생명의 기나긴 역사를 통해 만들어진 특별한 능력이고, 몸의 활동으로 유지되고 있으며, 잠들면 그 존재가 희미해진다.

내용들의 짝과 그 효과, 그리고 내용들의 상호작용은 각각의 단편적인 내용들과는 또 다른 내용이다. 두 개의 수소와 하나의 산소가 하나의 물 분자로 '짝을 이뤘다'는 것도 각각의 원자들에 추가되어 발생한 내용이다. 그렇기 때문에 화학과 생물학에는 물리학에서는 볼 수 없는 내용들이 포함되어 있다.

계속 뚜렷하게 존재하는 내용이란 어디에도 없다. 지난 일의 결과로 만들어지고 드러났다가 다음 일에 쓰이고 없어지기도 하는 내용이 있을 뿐이다. 일에서 다뤄지는 모든 내용은 그대로 있는 것도 아니고, 그냥 없어지는 것도 아니다.

분자들의 충돌 사건은 운동 방향의 변화를 곧바로 일으킨다. 자동차의 충돌은 분자들의 결합 형태를 변형시킨다. 물질들에서 발생하는 내용은 다음 일의 진행에 바로바로 쓰이기 쉽기 때문에 답답함이 덜하다. 하지만 그것은 활발한 상호작용과 빠른 결과 도출 때문인 것이지, 물질적인 일의 내용이 더 확고하게 존재하기 때문인 것은 아니다.

물질들이 주로 즉각적인 연쇄사건들이라면, 생명체는 연쇄사건들과 지연된 사건들이 뒤섞인 사건들이다. 그리고 생명체 외부에도 관련자들을 따라다니며 해결을 시도하는 지연되고 얽혀 있는 사건들의 진행이 있다.

우리의 입장에서 미제사건은 해결되지 않는 사건이라기보다는 해결과정을 확인하기 어려운 사건이다. 본능이나 습관의 형성과 작동을 확인하기 어렵듯이, 지연된 사건들은 진행과정을 확인하기 어렵지만 구체적인 일들이 일어나는 방향에 영향을 주며 쓰이게 된다.

영원한 미세사건은 없다. 단지 사건 해결의 지연이 있는 것이다. 만약 우리가 그 뺑소니 교통사고와 관련된 일들을 모두 알 수 있다면 "마침내 그렇게 …"라는 생각이 들 때까지 뺑소니 교통사고라는 일의 모임은 계속 관련된 일을 시도할 것이다. 모임은 관련된 내용이 모두 쓰일 때까지 계속된다.

뺑소니 사건을 보면서 가해자의 양심을 기대하는 것에 무력함을 느낄 수 있다. 그러나 양심이 있고 없고의 차이에 내용의 존재와 작동 여부가 결정되지는 않는다. 과실이라는 내용은 과실에 대한 책임이든 괴로움이든 그 어떤 내용으로든 간에 변형을 시도하고 결과를 맺어가며 해소된다.

양심은 순수한 도덕성의 드러남이 아니라 일과 이야기의 내용이 일으키는 즉각적이고 민감한 하나의 진행 경로다. 이 경로가 차단되었을 때 얽혀 있는 다른 경로들이 활성화된다. 두 개의 얽힌 전자가 그 내용을 통해 거리와 상관없이 연결된 것처럼, 사람 사이에서 발생한 내용이 남아 있는 한 외적인 거리만으로는 모임을 떼어놓지 못한다.

“

생명은 불과 몇 가지 종류의 원자로 만들어진 거대 분자(탄수화물, 지질, 단백질, DNA 등) 사이에 일어나는 복잡한 화학 반응의 집합체다. 하지만 단백질을 아무리 들여다본들 그 단백질을 가진 생물이 어떤 행동 특성을 가졌는지 추측하기는 힘들다. 인슐린을 들여다본들 언어를 구사하는 인간의 특성을 알 수는 없다. 생물은 수많은 분자의 집합체지만 개별 분자들을 안다고 생물을 이해할 수 없다. 단어 몇 개의 뜻을 안다고 수많은 단어가 모여 만들어진 책의 주제를 알 수 없는 것과 마찬가지다. 생물은 개별 분자들의 특성으로 환원될 수 없다.*

”

* 김상욱, 『하늘과 바람과 별과 인간』 391쪽, 바다출판사, 2023.

이야기 31. 물질들의 이야기

> 법칙은 어떻게 시간 속에서 그와 같은 형태를 띠게 되었을까. 법칙은 시간 속에서 항상 같지는 않았음이 드러날 수 있으며, 이에 대한 역사적이고 진화론적 물음이 존재한다.
>
> \- 리처드 파인만 -

앞에서(이야기 29) 양자 얽힘 현상을 지금까지 구상해온 일에 대한 여러 개념들과 연결시켜 보았다. 그러나 '이야기'라는 개념은 아직 활용하지 못했다. 물질적인 일들에서는 추상적인 성격을 지닌 이야기가 작동한다고 생각하기가 쉽지 않다.

양자들의 얽힘 현상은 지연된 일이지만 그동안 말한 기준에 따른다면 이야기라는 일은 아니다. 양자 얽힘이라는 일에 생략된 내용은 별로 없어 보이기 때문이다. 일의 진행에서는 A에서 출발하여 A가 아닌 것으로 전개되는 이야기를 시도하지만, 그것은 일이 가진 이야기적인 성격이지 일과 분리된 이야기는 아니다.

우리는 잠재된 습관이나 기억처럼 내용의 상당 부분이 생략되어 다시 실행되려면 그에 맞는 조건이 필요한 일을 이야기라고 불렀다. 그리고 모든 일은 그 진행에 대한 이야기(일에 대한 정보)를 추가적인 결과로 남긴다.

모든 일은 이야기를 남길 수 있고 물질적인 일들도 그렇다. 단, 남겨진 이야기가 어떻게 다시 쓰이느냐에 따라 그 작용이 두드러져 보일 수도 있고 그렇지 않을 수도 있다. 생명체의 활동에서 만들어지는 이야기는 생명체라는 특수한 조건에서 만들어졌기 때문에, 다시 쓰이기 위해서도 특수한 조건이 필요하게 된다.

특히 인간처럼 각자의 개성의 차이가 더 큰 생명체에서 만들어진 이야기는 더 까다로운 조건을 만족해야 쓰일 수 있을 것이다. 반면에 세포분열이 곧 번식인 단세포 생물들은 서로 많은 이야기를 공유할 수 있을 것이다. 이야기의 수집과 조합이 특수한 생명체를 만들고 생명체의 활동이 다시 특수한 이야기를 만들기 때문에, 생명체에서 개체성은 점점 더 강화되어 왔던 것이다.

생명체와 달리 물질들의 이야기는 매우 보편적으로 만들어지고 쓰일 수 있다. 물리학에서 소립자들은 개개의 개체로 구분하기 어렵다고 말한다. 예를 들어 A와 B라는 두 전자가 모였다가 떨어질 때 서로 완전히 같기 때문에, 어느 것이 A이고 B인지 구분되지 않는다는 것이다.

이야기는 원래 개별적인 일보다 보편적이다. 습관이 생겼다는 것은 여러 일을 통해 생긴 이야기들에 내용상의 공통점이 있어서 서로 겹쳐졌다는 것이고, 그 작동도 여러 비슷한 조건에서 비슷하게 쓰이게 되기 때문이다.

물질들의 이야기는 공통된 내용의 일들이 전 우주에 걸쳐 일어나기 때문에, 생명체의 이야기보다 훨씬 더 보편적으로 만들어지고 보편적으로 쓰일 수 있다.

이 보편적인 물질들의 이야기를 통해 규칙적인 성격이 강한 물질들 사이의 법칙을 일과 이야기의 관계로 이해해 볼 수 있다. 법칙을 구성하는 내용들과 그들의 관계는 변하지 않는다. 내용은 고유한 특징을 가지고 있고, 이에 따라 내용들 사이의 관계도 정해져 있다.

예를 들어 현악기에서 줄의 길이와 공기의 진동 그리고 소리의 높이에는 일정한 관계가 있고, 동서양의 현악기들은 모두 이 관계를 이용하여 만들어졌다. 아마도 다른 우주에서도 이 내용들의 변하지 않는 성질이 똑같이 중요하게 쓰일지도 모른다.

그러나 현실에서 어떤 내용이 나타나고 어떤 내용들이 서로 짝을 이룰 것인가의 문제는 내용들의 변하지 않는 측면만으로는 설명될 수 없다. 또한 일의 진행 규칙을 알게 되었다는 것과 그것을 보편화하는 것은 또 다른 문제이다. 습관이나 관습처럼 강화될 수 있는 것이다.

그래서 물질들의 보편적인 이야기는 변하지 않는 영원한 법칙의 측면과 우리 우주의 물질 공동체의 관습적인 측면을 함께 가지고 있게 된다. 이 관습화된 이야기의 작동을 통해 물질들 사이의 일들에 더 규칙화된 일관성을 부여하고, 우리 우주라는 넓은 모임으로서의 성격이 강화될 수 있다.

“

파인만은 어느 대담에서 다음과 같이 이야기했다. “그 어떤 진화론적 물음도 허용하지 않는 영역이 물리학이다. 그런데 우리가 물리학의 법칙을 알고 있긴 하지만 … 이 법칙은 어떻게 시간 속에서 그와 같은 형태를 띠게 되었을까? … 따라서 법칙은 시간 속에서 항상 같지는 않았음이 드러날 수 있으며, 이에 대한 역사적이고 진화론적 물음이 존재한다.” …

법칙들은 우주 밖에서 우주에 부여되는 것이 아니다. 그 어떤 외부적인 존재도, 그것이 신적인 것이든 수학적인 것이든 상관없이, 사전에 자연법칙이 어떠할 것이라고 구체화할 수 없다. 그뿐 아니라 자연의 법칙들은 시간 밖에서 우주가 시작되기를 기다리지도 않는다. 오히려 자연법칙들은 우주 내부에서 출현하며, 이 법칙들이 서술하는 우주와 함께 시간 속에서 진화한다. 게다가 생물학에서처럼, 우주의 역사 속에서 새로운 현상이 발생하면 이 현상 속의 규칙성으로서 새로운 물리법칙이 출현하는 것도 가능하다.*

”

* 리 스몰린, 강형구 옮김, 『리 스몰린의 시간의 물리학』 31~32쪽, 김영사, 2022.

이야기 32. 이야기로 만든 신

> 태초에 말씀이 있었다.
>
> 이 말씀이 하느님과 함께 있었으니,
>
> 말씀이 곧 하느님이다.
>
> -『요한복음』-

물리학자들은 우리 우주에서 생명체가 태어날 수 있었던 데에는 우연이라고 믿기 힘들만큼 많고 정밀한 조건들이 필요했다고 말한다. 그 많은 조건 중에서 어느 하나만 빗나갔더라도 생명체는 태어날 수 없었다는 것이다.

그래서 이러한 믿기 힘든 우연이 어떤 전지전능한 신과 같은 존재에 의해 조정된 것이라고 생각하기보다는, 엄청나게 많은 우주들이 다양한 조건을 가지고 우연하게 만들어졌고(마치 무작위적인 돌연변이들처럼) 그중에 우리 우주가 있을 것이라는 다중우주적인 설명을 하는 경우를 자주 볼 수 있다.

고리양자중력 이론을 만든 물리학자들 중 한 명인 리 스몰린은 블랙홀 안에서 또 다른 우주가 만들어진다는 가설을 적극적으로 주장한다. 이때 새로운 아기 우주는 모체 우주의 법칙들을 물려받고 자라면서 새로운 법칙들을 만들어 내는 방식으로 우주도 생명체처럼 진화할 수 있다고 한다.

리 스몰린의 가설도 다중우주적이긴 하지만 블랙홀과 빅뱅을 연결시키면서 우리 우주의 물리적 법칙과 조건이, 수많은 우연 중에 하나가 아니라 이전 우주로부터 물려받은 것이기 때문에 현재와 같은 특수한 상태가 될 수 있었다는 것이다. 그리고 우주의 번식이라고 할 수 있는 블랙홀이 많이 생길 수 있는 조건과 생명체가 태어날 수 있는 조건에 공통점이 많다는 점도 근거가 된다고 말한다.*

여기에서 우리는 리 스몰린의 주장을 받아들면서 이를 일과 이야기의 관계를 통해 이해해 보고자 한다.

블랙홀에서 원자와 분자 같은 물질적인 상태는 강한 중력에 의한 밀집으로 파괴될 것이다. 여러 정보를 담은 빛마저도 블랙홀을 빠져 나오지 못한다. 그러나 이런 밀집과 파괴의 과정에도 이야기는 파괴되지 않고, 오히려 파괴에 관한 이야기도 생성될 수 있다.

이야기는 그 가상의 형식 때문에 밀집으로 소멸될 이유가 없다. 그래서 그동안 쌓여온 다양한 일에 대한 정보들이, 일을 일으킬 수 있는 에너지와 함께 새로운 우주를 재건하는 방향으로 일을 촉발시킬 수 있다.

이러한 태초의 이야기를 통해 우연이라고 믿기 힘든 우리 우주의 조건들을, 우리 우주의 모태가 되는 우주들로부터 물려받은 일종의 유전 정보로 이해할 수 있다. 인간의 유전 정보가 어느 날 갑자기 생긴 것이 아닌 것처럼 우리 우주의 법칙과 조건들도 여러

---

* 리 스몰린, 강형구 옮김, 『리 스몰린의 시간의 물리학』 참조, 김영사, 2022.

우주들의 오랜 진화로부터 이야기로 형성되어 계승될 수 있다는 것이다.

일과 이야기로 만들어가는 우리의 구상에서 흔히 말하는 신에 가장 가까운 존재가 있다면 이 태초의 이야기일 것이다. 그러나 이야기는 일종의 일이고 구체적인 일들에서 만들어진 것이다. 따라서 일어나는 일들의 신은 특별한 일이긴 하지만, 일들 자신의 이야기로 만들어진 신이고 다시 일로 돌아가는 신이다.

태초의 이야기는 구체적인 일들과 함께 뻗어나가며 새로운 우주를 만드는 일에 쓰인다. 이 이야기는 특정한 자리에 제한되지 않고 우주 곳곳에서 공유된 상태로 쓰여 없어지지만, 한편으로는 보편적으로 작동할 수 있는 이야기들이 다시 흡수되면서 여전히 존재하며 일할 수 있다.

앞으로 이 태초부터 이어진 이야기를 '펼쳐진 이야기'로 부르려 한다. 펼쳐진 이야기는 태초부터 지금까지 우리 우주의 곳곳에 널리 공유되어 작동하는 기초 법칙이자 관습으로서, 우리 우주의 무의식적인 정체성을 형성하고 유지시키는 가상의 일이다.

그러나 영원히 그대로 작동하는 법칙이나 관습은 없다. 펼쳐진 이야기를 포함해서 일어나는 모든 일들은 끊임없이 새롭고 다양한 시도로 번져 나간다. 그렇게 우주의 일들이 진행되면서 펼쳐진 이야기도 내용상의 변화를 겪으며 점차 진화할 것이다.

“

세계가 신에 내재한다고 말하는 것은 신이 세계에 내재한다고 말하는 것과 마찬가지로 참이다.

신이 세계를 초월한다고 말하는 것은 세계가 신을 초월한다고 말하는 것과 마찬가지로 참이다.

신이 세계를 창조한다고 말하는 것은 세계가 신을 창조한다고 말하는 것과 마찬가지로 참이다.*

”

* 화이트헤드, 오영환 옮김, 『과정과 실재』 598쪽, 민음사, 1991.

이야기 33. 내용의 번짐

단어의 의미는 두세 개가 아니라 무한하다.*

-『사고의 본질』 중에서 -

한국어를 모르는 사람에게 '파랑', '기쁨', '초록', '희망'이라는 말들 중에 어느 것이 서로 가까운지 물어본다면 대답하기 어렵겠지만, 직접 그 느낌들을 느끼게 해준다면 이들 사이의 관계에 대해 쉽게 대답할 수 있을 것이다. 우리는 그 관계를 직관적으로 알 수 있다.

내용들은 각각 그만의 고유한 특징을 가지고 있다. 그러나 한편으로 그 고유함으로부터 그와 가까운 내용으로 확장해 나간다. 어떤 초록 색감을 처음 보더라도 그 색감과 약간의 차이가 있는 다른 색감이 있을 수 있음을 예상할 수 있다. 초록 색감과 연두 색감을 동시에 본다면 그 사이에 있을 수 있는 색감들을 더 쉽게 예상할 수 있다.

초록 색감을 '초록'이라는 말이나 '110' 같은 숫자로 대신 전했을 때는 이런 즉각적인 번짐 효과가 항상 나타나지는 않는다. 이런 인위적인 언어가 작동하려면 미리 초록 색감과 '초록', '110'이 서로를 연상시킬 수 있도록 연습해야 한다.

초록 색감은 풀잎 색, 연두색, 갈매빛(짙은 초록) 등과 가깝고, '초

* 더글러스 호프스태터 ·에마뉘엘 상데, 김태훈 옮김, 『사고의 본질 - 유추, 지성의 연료와 불길』 12쪽, 아르테, 2017.

록'이라는 글자는 쵸록, 초륵, 츠록 같은 모양과 가깝고, '110'은 111, 101, 011 같은 모양과 가깝다. 그리고 '초록'이라는 글자가 쓰여진 모양과 불려지는 소리는 무한에 가깝게 다양할 수 있다.

인간의 언어에서 간접적이고 인위적인 연결은 다양한 내용을 편리하게 다룰 수 있게 하지만, 내용의 직접적인 전달과 번져나가는 성질이 없이는 어떠한 언어소통도 불가능하다. 조금 전의 내 마음과 지금의 마음이 통할 수 있는 것도 내용의 전달과 번짐으로 가능해진다.

자연에서는 미리 연습하지 않은 내용들의 연상이 일어난다. 하나를 보고 열을 아는 것은 창의적인 사람에게만 일어나는 일이 아니다. 누구나 하나의 내용을 경험하면서 무한에 가까운 비슷한 내용을 알게 된다.

한 번 어떤 자전거를 탈 수 있게 되면, 무한에 가깝게 약간씩 다른 자전거들을 타고 무한에 가깝게 다양한 길을 갈 수 있다. 위험한 물건을 한 번 봐도 비슷한 다른 물건을 봤을 때 그 위험성을 떠올릴 수 있다. 그들 사이의 빈틈은 자연스럽게 채워진다.

내용의 직접적인 전달과 번짐으로 인해 인위적인 언어도 다시 자연스럽게 번져서 '위험'이라는 단어의 의미는 무한해진다.

아이가 숫자 1을 배우면 그에게 수는 무의식적으로라도 1+1와 1+1+1로 확장해 나간다. 어떤 원을 본다면 다양한 크기의 원들과 찌그러진 원들까지 곁으로 한층 다가오게 된다.

단순한 생명체에게 동물들처럼 뚜렷한 감각, 지능, 감정이 있다고 말하기는 힘들다. 그러나 그들이 겪는 일들에서 생긴 단편적인 이야기가 모이고 빈틈을 채워가면서, 이야기들은 드라마처럼 좀 더 길고 넓게 이어질 수 있었을 것이다.

일들에서 실현되고 있는 내용들은 점점 그 영역을 넓혀 왔다. 내용들의 관계적인 성질과 번짐 효과에 의해서 아직 현실적으로 나타난 내용이 아닌 어떤 내용들도 현실과의 희미한 연결고리를 갖게 된다.

“

단어는 어떻게 어떻게 머릿속에 떠오를까?

우리는 매 순간 새로운 상황에 직면한다. 사실은 이보다 훨신 더 복잡하다. 우리는 매 순간 얽히고설킨 수많은 상황을 동시에 접한다. … 요컨대 우리는 하나의 상황에 직면하는 것이 아니라 소용돌이치는 다수의 부실하게 정의된 상황에 직면한다. 그중 어느 것도 공간적으로든 시간적으로든 분명한 틀로 구분되지 않는다. 주변의 것들에 포위된 우리의 불쌍한 두뇌는 이 예측할 수 없는 혼돈과 끊임없이 씨름하면서 언제나 자신을 둘러싸고 마구잡이로 밀려드는 것들을 이해하려 애쓴다.

그러면 ‘이해하다’ 라는 말의 의미는 무엇일까? 이 말은 일단 휴면 상태에서 깨어나면 이 혼돈에서 일정한 질서를 찾도록 도와주는 친숙한 특정 범주가 저절로 촉발되거나 무의식적으로 환기된다는 것을 뜻한다. 크게 보면 이 말은 온갖 단어가 머릿속에서 즉각 떠오르는 것을 뜻한다. … 초대하지는 않았지만 이토록 효율적으로 끊임없이 머릿속에 밀려드는 단어의 세례보다 더 친숙한 경험은 없다.*

”

* 더글러스 호프스태터 · 에마뉘엘 상데, 김태훈 옮김, 『사고의 본질 – 유추, 지성의 연료와 불길』 51~52쪽, 아르테, 2017.

이야기 34. 내용의 다양함

> 뇌는 각각의 패턴에 의미를 부여한다. 그리고 이 의미가 우리의 주관적인 경험이 된다. 뇌는 어둠 속의 전기 불꽃을 세상에 대한 조화로운 그림 쇼로 바꿔놓는 기관이다.
>
> - 데이비드 이글먼 -

컴퓨터는 모든 정보를 0과 1의 이진법으로 구분한다. 전기가 흐르면 1이고 흐르지 않으면 0이다. 이 두 가지 단순한 구분의 조합으로 무한히 많은 정보의 구분을 만들 수 있다. 『주역』에서는 이어진 선인 양효와 끊어진 선인 음효를 쌓아서 여러 괘를 만드는데 이것도 일종의 이진법이라고 할 수 있겠다.

그런데 이진법에서 착각하기 쉬운 점은 내용의 구분이 단순해도 충분하다는 것이다. 0과 1은 단순한 2가지 구분이다. 그렇지만 이를 조합한 110은 단순하지 않다. 110은 1과 0과는 다른 수로 110이라는 연속된 세 숫자가 아니고서는 정확히 구분되지 않는다. 『주역』에서도 음효와 양효를 어떻게 쌓느냐에 따라 새로운 의미를 포함한 각 괘들이 만들어진다.

각각의 내용은 독특한 특징으로 구분된다는 것은 2진법에서도 마찬가지인 것이다. 컴퓨터가 다양한 정보를 다룰 수 있는 것은 0과 1로 만들 수 있는 배열이 무한히 다양하기 때문이다.

뇌에서도 컴퓨터처럼 이진법을 활용하고 있다. 전선처럼 기다란 신경세포에서 신호 전달이 활성화되면 1이고 그렇지 않으면 0이라고 할 수 있다. 신경세포들의 사이에는 시냅스라는 틈이 있는데, 이곳에서 반도체처럼 신호 전달이 다양한 경로로 이어지거나 차단되도록 조절함으로써 0(차단)과 1(흐름)은 무한에 가깝게 다양한 배열로 연결될 수 있다.

이렇게 보면 컴퓨터와 뇌는 상당히 비슷한 원리로 작동하는 것처럼 보인다. 특히 인공지능은 미리 정해진 연결 방식이 아니라 신경세포의 시냅스에서처럼 학습에 따라 스스로 연결 방식을 조절해 가면서 최적의 방식을 찾아 간다. 뇌를 흉내 내면서 개발된 인공지능이 1년이 다르게 발전하는 모습을 보면서, 거꾸로 뇌의 작동 방식이 정말로 컴퓨터와 비슷한 것이 아닌가 하는 생각이 들게 한다.

그러나 뇌와 컴퓨터는 좁힐 수 없는 근본적인 정보 처리 방식의 차이가 있다. 컴퓨터의 정보는 다양하다고 해도 약속된 숫자 언어의 차이에 불과하다. 인공지능이 이 단순화된 내용들을 인간처럼 구별해서 처리하는 것은 인간의 기준으로 미리 학습되어 있기 때문이다.

자연과 생명에서 기초가 되는 내용의 다양함은 단지 약속된 구분의 다양함이 아니라 직관적인 특징의 다양함이다. 서로 다른 개성을 숫자의 구분으로 대체할 수는 없다. 그리고 이 개성들은 각각 고유하면서도 이웃관계로 인해 연관된 특징들로 번져나가 확장된다.

그런데 뇌가 처리하는 정보도 컴퓨터처럼 0과 1의 이진법이 아닌가? 뇌의 활동을 신경세포들의 신호 전달로만 보면 그렇다. 그러나 신경세포들이 없는 생명체들도 정보를 활용하여 살아가고 있다. 신경세포들의 정보 처리는 생체 정보의 기초가 아니다.

이 문제는 앞으로 계속 생각해 봐야 할 질문이다. 여기에서는 일단 우리 마음이 경험하는 다양한 내용들은 뇌신경의 정보처리에 덧붙여진 부수적인 내용들이 아니라는 점을 강조하고 싶다. 초록 색감은 신경세포 신호의 흐름과 차단 방식과 연관되어 있지만, 그 정보는 초록 색감으로 번역되어야 다른 색감이나 감각과의 연관 속에서 종합될 수 있다. 학습으로 관계를 배우기 전에도, 내용의 자체적인 성질과 짝짓기를 활용할 수 있게 되는 것이다. 일어나는 일의 경험은 학습이기에 앞서 새로운 모험이다.

형태, 색감, 감정, 소리, 냄새, 맛 같은 다양한 내용들은 모두 세계를 다채롭게 하는 내용들이고, 이들의 복합적인 조합도 새로운 내용이 된다. 감각과 감정의 내용들은 뇌 속에서 다른 내용과 서로 연결되고 해석되기도 하지만 서로를 완전히 대체할 수는 없기 때문에, 개성 있는 고유한 내용의 상태로 뇌의 활동 속에 포함되어 있어야 한다.

이것이 정신이 물질을 결정한다는 것을 말하는 것은 아니다. 우리가 생각하는 물질과 정신, 몸과 마음은 모두 일어나는 일들이지만, 이들 사이에는 좁힐 수 없는 내용의 차이가 있고 할 수 있는 일도 다르다는 것이다. 정신과 마음의 내용을 물질과 몸의 내용으로 대체할 수 없고 그 반대도 마찬가지다.

생명은 주어진 내용을 활용할 수 있는 더 적절하고 효율적인 내용의 영역을 찾아내고 전수해 왔다. 그리고 고유한 내용들은 다시 연관된 내용들로 번지고 새로운 짝을 이루면서, 지난 일의 정보는 단지 해석의 대상이 아니라 새로운 일과 새로운 세계의 마중물이 된다.

"

무게 1.4킬로그램의 뇌는 소리를 직접 듣거나 눈앞의 광경을 직접 보지 않는다. 뇌는 어둡고 조용한 지하 묘지 같은 두개골 안에 갇혀 있다. 뇌가 보는 것은 다양한 데이터케이블을 통해 계속 들어오는 전기화학 신호뿐이다. 뇌가 처리해야 하는 정보도 그것뿐이다.

우리가 아직 그 과정을 전부 알아내지는 못했으나, 뇌는 이 신호를 받아들여 패턴을 추출해내는 데 기가 막힌 재능을 가지고 있다. 뇌는 각각의 패턴에 의미를 부여한다. 그리고 이 의미가 우리의 주관적인 경험이 된다. 뇌는 어둠 속의 전기 불꽃을 세상에 대한 조화로운 그림 쇼로 바꿔놓는 기관이다.*

"

* 데이비드 이글먼, 김승욱 옮김, 『우리는 각자의 세계가 된다』 83쪽, RHK, 2022.

정선희

4장

생명과 마음

이야기 35. 말하는 이야기

> 차단되고 싶으면서도 완전하게는 차단되기 싫은 마음
>
> 그것이 유리를 존재하게 한 것이다.
>
> - 김소연 「마음사전」 중에서 -

나와 세계 사이에는 보이지 않는 유리벽 같은 것이 있다. 어떤 때는 그 벽 뒤에 안전하게 숨어 있음에 안도하고, 어떤 때는 넘을 수 없는 벽에 갇힌 듯한 고독감을 느끼기도 한다. 그러나 또 어떤 때는 물아일체나 우리라는 공동체가 된 느낌에 취하고, 어떤 때는 피하지 못하고 찔린 상처에 고통 받는다.

이 유리벽을 깰 수도 없고, 안 깰 수도 없는 것이 철학의 오랜 고민이기도 하다. 통해 있으면서도 완전히 통해서는 안되는 그런 관계가 나와 세계, 나와 너, 정신과 물질, 마음과 몸 사이에 있다.

우리는 그동안 나, 세계, 정신, 물질, 마음, 몸이 있고 그 사이가 있는 것이 아니라, 반대로 사이를 만드는 일들이 모여서 이들의 구분이 생기는 것이라고 주장했다. 그러나 아직 어떤 일들이 일어나는 사이에 나라는 한 사람과, 연결된 타인들과, 피할 수 없는 세계가 생기는지 아직 해명하지 못했다.

이어지고 달라지는 일에서 이어짐은 서로를 관통하는 사이를 만들고, 달라짐은 그 일만의 구분이라는 벽을 세운다. 이어짐과 달라짐의 리듬이 계속 교차함은 구분의 벽이 단단히 고정된 벽이 아니라는 것을 의미한다.

그렇지만 몸과 마음, 물질과 정신 사이의 유리벽은 어느 정도 고정되어 있는 듯한 생각이 들게 한다. 몸에서 일어나는 일들과 마음에서 일어나는 일들의 차이가 뚜렷하게 달라 보이기 때문이다. 이 가상의 유리벽은 어떻게 생기게 되었을까?

지금까지 줄곧 제시해온 구체적인 일들과 가상의 이야기라는 구도는 인간의 몸과 마음을 해명하기 위해서 더 상세하게 설명되어야 한다. 이 어려운 질문을 따라 갈 실마리로 이야기가 '말 없는 이야기'와 '말하는 이야기'로 나눠 볼 수 있다는 점에서 출발하려 한다.

물질적인 일에서도 이야기는 만들어지고, 하나의 세포에서도 이야기는 만들어진다. 그러나 우리가 느끼고 생각하는 마음에서는 더 구체적이고 적극적으로 말하고 있는 이야기들이 들린다. 마음은 세상을 담고 있지만, 그만의 방식으로 담아서 그만의 방식으로 일한다.

말에도 마음의 투과하는 벽이라는 성격이 포함되어 있다. 말은 적극적으로 그 말이 아닌 다른 것을 담으려 한다. 그렇지만 말은 그 훔쳐낸 의미와는 다른 방식으로 일한다. 마음은 감각, 감정, 추상적 개념을 통해 여러 일들을 말하는 이야기 세계로 이끌고 엮는다.

"

어느날 유리창에 달라붙은 매미를 본 일이 있다. 나무에 달라붙어 있을 때는 등짝만을 보아왔는데, 유리에 달라붙으니 전혀 볼 수 없었던 매미의 배를 보았다. 징그럽기도 하고 아름답기도 했다. 그것을 바라보면서 사람에게 마음이 없었더라면 유리 같은 것을 만들어내지 않았을 것이란 생각이 들었다. 인간이 얼마나 마음을 존중하는 종자인지를 생각하게 되었다. 매미와 나 사이에서 유리는, 매미를 나로부터 보호하기도 하고 나를 매미로부터 보호하기도 했다. 굳게 닫힌 유리창이 없었더라면 커다란 곤충을 가까이하기 두려운 나 같은 사람은 그것의 배를 한참동안 바라볼 수는 없었을 것이다. 매미 또한 나에게 배를 보여주며 그렇게 집념에 차서 울고 있을 수는 없지 않았을까. 차단되고 싶으면서도 완전하게는 차단되기 싫은 마음, 그것이 유리를 존재하게 한 것이다. … 안과 밖의 경계를 만들면서 동시에 허무는 것, 그것에 대한 인간의 욕망 때문에, 유리는 세상에 존재하고 있고, 그렇게 단순하게 안과 밖 혹은 이분법적인 구분이 아닌 것들로 세상이 존재하고 있음을 유리는 요약해 보여주고 있다.*

"

* 김소연, 『마음사전』 21~22쪽, 마음산책, 2008.

이야기 36. 물질과 생명

생명은 선택하는 물질이다.

- 새뮤얼 버틀러 -

이야기는 일의 진행 과정과 평가로서의 정보라고 할 수 있다. 일을 통해 A와 B가 만나서 A'와 B'가 되었을 때, 이 일에 대한 정보가 남아 있지 않다면, 이 일은 다음 일에 지난 경험으로 쓰일 수 없다. 생명체는 필요한 정보들을 자체적으로 수집하고 활용하면서 생겨나고 살아왔다. 그러나 생명체가 물질에서 발생하려면 물질적인 일에서도 정보가 활용되어야 한다.

물질적인 일에서도 이야기는 생성되어 작동하지만 너무나 규칙적이고 보편적이어서 잘 드러나지 않을 수 있다. 에너지의 요란한 활동성으로 봤을 때, 엄청난 에너지가 소립자나 원자로 모여 있는 것이 그저 원인과 결과의 단편적인 연쇄이기만 할까? 물질들에서 보이는 반복되는 활동의 패턴들은 이야기의 활동으로 강화된 결과일 수 있다. 지난 일들의 정보가 지금의 일에 다시 쓰이는 방식으로 법칙성이 만들어진다는 것이다.

이야기는 일의 구체성에서 많은 부분이 생략되고 추상되면서 가상의 성격을 띠게 된다. 이렇게 분리된 이야기가 다시 구체적으로 쓰이려면 관련된 일과의 내용상의 공통점이 있어야 한다. 이 공통점이 이야기가 다시 구체화되어 쓰이는 조건이 된다.

일이라는 실상과 이야기라는 가상은 이런 방식으로 서로 나눠지면서도 완전히 떨어지지 않고 함께 일한다. 이야기가 구체화되는 조건이 있기에 가상은 물질을 만들어내는 것이 아니라 물질적인 일을 안내하는 것이고, 물질들은 맹목적으로 일하지 않고 지난 일들의 정보를 활용할 수 있게 된다. "내용 없는 사상들은 공허하고, 개념들 없는 직관들은 맹목적이다"*고 했던 칸트의 격언은 인간의 인식을 넘어서 모든 일의 영역으로 확장될 수 있다.

원시 지구 환경에서는 물에 떠다니는 다양한 분자들이 만나고 반응하면서, 다른 곳에서 보기 힘든 좀 더 특수한 일들과 이야기들이 생겨났다. 지구에서 최초의 생명체는 복잡해진 물질들과 관련된 이야기들이 그 특수한 사용 조건으로 인해 다른 곳에서 쓰이지 못하고 자체적으로 점점 쌓여가는 상황에서 발생했을 것이다.

이 특수한 조건은 생명의 진화와 뚜렷한 개체성의 이유도 된다. 같은 종이라도 각각의 생명체는 다른 환경에서 다른 일을 겪으며 다른 이야기들을 수집하게 된다. 이렇게 지구는 생명을 물질들 사이에서 발생시키고 다양한 생명체와 개성 있는 개체들을 만들어왔다.

생명체의 정신성은 이야기의 자체적인 결합이 유지되는 것에서

* 칸트, 백종현 옮김, 『순수이성비판』 1권 274쪽, 아카넷, 2006.

비롯될 수 있다. 구체적인 일이든 가상의 이야기든 일의 결과는 다음 일의 전개를 시도한다. 이야기는 구체적인 일에 다시 쓰여 돌아가는 것을 시도하는 동시에, 다른 이야기들과의 결합을 시도할 수 있다. 이때 이야기가 특수할수록 다른 일에 쓰이지 못할 가능성이 크기 때문에 생명체의 이야기들은 개체적인 결합이 더 오래 유지될 수 있다.

가상적인 이야기들의 개체적인 결합, 이것이 바로 생명 정신의 기원이다. 그렇지만 생명체에서 물질과 정신의 분리와 결합은 일과 이야기가 분리되고 결합하는 성질에서 비롯된 것이다. 더 근원적으로는 일이 불확실한 시도와 뚜렷한 결과의 리듬으로 진행된다는 성질에서 비롯된 것이다. 그러므로 정신의 싹은 일의 기본 성격에 포함되어 있었다.

우주에 물질적인 일들과 펼쳐진 이야기 사이의 상호 작용이 있다면, 생명체에는 물질과 정신의 상호 작용이 있게 된다. 펼쳐진 이야기의 보편적인 형성과 활동이 숨겨져 있듯이, 생명의 정신 또한 몸의 어딘가에 숨겨져 있다. 이런 면에서 펼쳐진 이야기를 우주적인 정신이라고 할 수도 있겠다.

그러나 우주적 정신은 특별한 개체에 특별한 관심을 갖고 활동하는 정신이 아니라, 보편적인 내용과 방식으로 활동하기 때문에 마음과는 달리 치우침이 없다. 생명체의 정신에서는 보편 법칙으로서의 이야기에 특수한 개체의 선택적 반응이라는 이야기를 더한다.

“

생명은 선택하는 물질이라고 한 버틀러의 말에 우리는 동의한다. 새뮤얼 버틀러는 살아 있는 존재들이 환경 변화를 감지하고 그것에 반응하며 일생 동안 줄곧 자신을 변화시키려고 한다고 주장했다. 그러나 생물이 변화를 가져오는 효율은 높지 않다. 어느 날 갑자기 포유류의 머릿속 전구에 불이 번쩍 들어와서 인간이 되고자 선택을 한 것이 아니다. 오히려 점진적으로 조금씩, 살아 있는 시스템은 음식물, 물, 에너지가 부득이하게 필요해서 교묘하고도 영속적으로 자신을 변화시켰을 것이다. 신학자들이 설계라고 부르며 천상 세계의 일로 생각하는 것이 버틀러에게는 지구에 뿌리를 둔 생각하는 물질이 가져온 결과였다. 이것을 작가에 비유해 보자. 그는 무엇을 써야 할지 막연한 생각밖에 없다. 그런데도 문법과 철자법 문장론에 따라 단어를 하나씩 보태다 보면 의미 있는 무엇인가가 나온다. 작가가 쓴 결과물은 완전히 그의 것이 아니다. 왜냐하면 작가는 언어의 규칙을 따르기 때문이다. 이와 비슷하게 생명은 물리나 화학, 열역학의 어떤 법칙도 무시하지 않는다. 작가의 선택이 어휘 세계 속에 있듯이 생명의 선택은 물질 세계 속에 있다.*

”

* 린 마굴리스·도리언 세이건, 김영 옮김, 『생명이란 무엇인가』 308쪽, 리수, 2016.

이야기 37. 뒤바뀐 자리

생명의 속성은 모두 정보와 깊이 관련되어 있습니다.

-「최무영 교수의 물리학 강의」 중에서 -

각각의 일들은 펼쳐진 이야기라는 활동하는 법칙에 둘러싸여 일어난다. 펼쳐진 이야기는 적어도 우리 우주 안에서는 사적인 자리에 제한되지 않는다. 그것은 편파적이지 않은 자리에서 편파적이지 않은 방식으로 일한다.

생명에서 일과 이야기의 이러한 자리 관계는 뒤바뀐다. 생명체는 구체적인 일들에 둘러싸여 있다. 생명은 사적인 자리에서, 사적인 관점에서 이야기를 수집하고 그에 따라 일한다. 그래서 생명의 이야기는 보편성이 제한되고 개체에 따라 다양하게 변형된다.

생명은 이야기를 훔친다. 생명체는 구체적인 일들에 몸이라는 경계를 만들어 훔쳐낸 이야기보따리를 풀어 놓고 함께 일하게 한다. 그러나 생명은 이야기를 단지 훔치기만 하는 것은 아니다. 각각의 생명체는 각자의 관점에서 새로운 이야기를 만들면서 살아간다.

몸 안에서 일어나는 일들의 이야기는 몸 밖의 일들과 확연하게 달라진다. 밖에서는 어쩌다 우연히 일어날 수도 있는 일이 안에서는 반드시 일어나야 하는 일이 될 수 있다. 일은 개체의 생존이라는 새롭고 특수한 기준에 따라 평가되고, 더 나은 생존 방향으로 가는 이야기로 조합된다.

생명은 가치를 훔친다. 결과라는 확고한 기반 위에서 다양한 시도로 나아가는 일의 보편적 경향성은 개체화된 이야기와 결합하면서, 생명이라는 특별한 상태를 지키려는 본능 위에 다양한 경험을 추구하는 이야기로 변형된다. 보편적인 가치가 사적인 관점을 통과해서 욕구와 의지가 된다.

생명의 일은 보편적인 진행 과정에 따라 일어나거나 우연히 마주치는 것만이 아니라, 각각의 개체가 지닌 다양한 이야기 묶음을 거쳐서 일어난다. 물질적인 일들은 우연한 조건에서 마주치며 일어난다. 펼쳐진 이야기는 이 조건에 맞는 관습적인 이야기를 제공한다. 생명의 이야기는 우연한 조건에 준비된 조건으로 대응함으로써 원하는 일이 일어나게 한다. 생명체는 우연과 관습에 개체적 습관을 더해서 살아남는다.

생명은 시공간을 훔친다. 물리적인 시공간은 단편적인 일들이 대체로 순차적인 매듭을 지어가며 촘촘하게 짜인다. 생명체는 그 촘촘한 바탕 위에 거미처럼 자신만의 그물망을 펼쳐 놓고 자리를 잡는다.

과거는 흘러가지만 그물에 이야기라는 흔적을 남기고, 미래는 오지 않았지만 과거의 이야기가 현재에 겹쳐지며 방향을 안내한다. 그물이 흔들리는 진동은 주변 상황을 알리는 정보가 되고 생명체는 그에 맞는 습관을 일으킨다.

생명에게 원죄가 있다면 환경을 사적으로 훔쳐내야만 살 수 있다는 것이다. 우리 시대의 인간은 거기에 더해 미래의 환경마저도 미리 훔치고 있다. 인류의 역사라는 게 남아 있을 수 있다면, 먼 훗날 우리 시대는 지구 생명의 역사에서 암과 같은 시기로 기억될지도 모른다. 암 세포들에게 환경과 자신의 미래는 아주 희미한 관심 밖의 이야기지만, 미래는 어느 순간 뚜렷하게 일어나게 될 다가오는 현실이다.

"

생명의 속성은 모두 정보와 깊이 관련되어 있습니다. 먼저 적절한 구조로 잘 짜여 있다는 말은 많은 양의 정보를 이용하는 과정을 통해 생명이 구조를 가지게 되었음을 뜻합니다. 말하자면 짜임새 있는 집을 짓기 위해서 정보를 충분히 담은 설계도가 있어야 하는 법과 마찬가지이지요. 대사 작용은 생명체가 외부로부터 자유에너지, 곧 에너지와 정보를 받아들여 이용하는 과정인데, 여기서 에너지보다 정보가 중요합니다.('에너지보존법칙'에 따라 에너지는 소모되지 않고 일정하게 유지됩니다.) 결국 대사란 정보의 흐름을 통해서 자신의 정보를 늘리는 과정이라 할 수 있어요. 한편 응답은 생명체와 환경 사이의 정보교류를 통해 이루어지며, 번식은 세대 사이에서 정보의 전달입니다. 이른바 유전정보를 물려주는 과정이지요. 마지막으로 진화는 긴 시간 눈금에서 환경과 정보교류에 의해 일어납니다. 따라서 생명현상의 본질은 정보라고 할 수 있겠습니다.*

살아 있는 생명체가 흐트러지지 않고, 엔트로피도 늘어나지 않고 어떻게 적절한 질서를 유지할 수 있는지는 커다란 의문입니다. 그것에 대해 물리학에서는 에너지와 정보의 흐름을 답으로 제시하지요. 엔트로피가 늘어나지 않고 낮은 상태를 계속 유지할 수 있는 이유가 환경으로부터 에너지와 정보, 곧 자유에너지를 받기 때문입니다.**

"

* 최무영, 『최무영 교수의 물리학 강의』 666~667쪽, 책갈피, 2019.

** 같은 책 672쪽.

이야기 38. 준비된 습관

심장, 근육, 신경, 세포 등에는 어떤 영혼이 있다고 해야 한다. 하지만 이 영혼은 응시하는 영혼이며, 이 영혼의 모든 역할은 습관을 수축하는 데 있다.*

- 들뢰즈 -

습관은 반복될 수 있도록 준비된 일의 모임이다. 살기 위해서는 끊임없이 습관적인 일을 일으켜야 하고, 반대로 죽음은 생존을 위한 본능적 습관이 멈추는 것이다. 습관을 자세히 살펴보면 구체적인 일들로 이루어져 있다. 어느 하나 물리 법칙을 거스르는 일은 일어나지 않는다. 다만, 그 수많은 일들이 생명 활동의 유지와 전수라는 일관된 목표를 향해 있다는 것이 특이할 뿐이다.

목표라는 것은 이야기의 상태로 존재하면서 일할 수밖에 없다. 많은 일들이 다르게 일어날 가능성이 얼마든지 있는데도, 수많은 가능성을 제한하고 목표를 향해서 일이 진행된다. 생존이라는 목표는 일의 결과로 나타나지만, 그 결과가 나타나기 훨씬 전부터 가상의 이야기로 일한다. 그런 면에서 생명체의 시간은 뒤엉켜 있다.

생명체의 습관은 언제든지 실행될 수 있도록 '미리' 준비되어야 한다. 현재 진행되는 이야기의 결말은 죽음으로 향할 수 있

* 들뢰즈, 김상환 옮김, 『차이와 반복』 178쪽, 민음사, 2004.

기 때문에, 실제로 일어나기 전에 수정되어야 한다. 이를 위해서는 최종 목표와는 다른 이야기의 활동이 있어야 한다. 현재의 일의 진행에 대한 예측과 그 대안으로서의 이야기가 제시되고 실행되어야 한다.

대안이란 목표를 이루기 위해 실행되어야 할 세세한 이야기이고, 대안이 단순히 상상의 이야기가 아니라 필요한 순간에 일어나기 위해서는 구체적인 준비가 필요하다. 이렇게 일어날지도 모르는 가상의 일에 대한 준비를 할 수 있는 것은, 지난 일에서 생긴 이야기가 남아서 일하기 때문이다. 만약에 그러한 상황이라는 조건이 다시 발생한다면 준비된 일은 습관적으로 실행된다.

이야기는 이렇게 생명의 탄생과 유지에 필요하지만, 이야기가 일으킬 수 있는 힘은 사실 그리 크지 않다. 고차원의 이야기를 활용하는 인간의 경우에도 그것은 마찬가지다. 상상만으로는 어떤 동작도 구체화되지 않는다. 일이 실제로 진행하는 여러 가능한 시도에 그와 관련된 이야기가 더해지면서, 그 방향으로 일어날 확률을 높이는 것이 이야기가 일하는 방식이다.

손가락 하나를 움직이거나 말 한마디 내뱉는 일도, 관련된 근육이 움직일 수 있는 구체적 과정 전체가 준비가 되어 있지 않으면 일으킬 수 없다. 의식의 명령은 다 차려진 밥상에 숟가락을 얹는 것보다도 약한 힘을 발휘한다. 언제든지 발신 대기 중인 특정 뇌신경의 신호에, 일어날 가능성을 더하는 것이 의식의 명령이라는 이야기가 하는 일이다. 그러나 중요한 말을 해야 할 그 시점을 좌우할 수 있다는 점에서 결정적인 역할을 할 수도 있다.

이야기만으로는 어떤 물질을 만들거나 파괴하지 못한다. 이야기만으로는 어떤 물질을 이동시키거나 멈춰 세우지 못한다. 그러나 일에는 항상 이야기가 끼어들 여지가 있다. 일은 고정불변하는 상태의 연속으로 일어나지 않고, 항상 먼저 일어난 결과에서부터 다음 진행을 다양하게 시도한다.

일이 불확실하고 확률적인 시도의 이야기가 되는 순간, 미리 있었던 그와 관련된 이야기가 끼어들 틈이 생긴다. 이때 이야기가 끼어들기 위해서는 이야기의 내용이 서로 들어맞아야 한다. 상상의 움직임은 그 근육에 해당하는 뇌신경 신호의 세세한 내용과 적절한 강도를 포함하지 않는다. 움직임의 실세적인 명령은 그 세세한 부분까지 포함한 이야기여야 한다.

복잡한 분자들이 만나는 세포 수준의 일과 이야기가 있다. 그 이야기에는 세포에서 일어나는 일들의 세세한 내용이 가상의 정보로 포함되어 있다. 이야기의 내용이 서로 들어맞을 수 있는 이유는 이야기가 일의 시도에서 생겨나고 다시 그 시도로 돌아가기 때문이다.

그런 방식으로 이야기를 통해 서로 다른 일들이 관련성을 갖게 된다. 특히 단편적인 이야기의 연결을 통해 일의 진행 결과가 실제로 일어나기 전에, 목표나 예측 또는 준비와 촉발 같은 가상으로 작동할 수 있게 된다.

다른 사람의 생각하는 이야기가 그 사람이 하는 일이나 말에서 작동하는 것을 볼 수 있지만 그 사람의 이야기 자체만을 볼 수는 없듯이, 세포에서도 이야기가 작동하는 것을 추정할 수 있지만 그 이야기 자체를 확인할 수는 없다. 이야기는 일을 통해서 그 활동이 구체화되기 때문이다.

이야기는 언제 어디서나 일하고 있지만 그 존재마저 의심받는다. 그런데 구체적으로 드러난 결과만이 일의 전부이고 일이 결과의 연속으로 진행된다고 '가정'하는 것만큼 자기모순적인 일이 있을까.

"

스피노자는 몸체는 무엇을 할 수 있는지를 묻는다. … 〈진드기〉는 빛에 이끌려 나뭇가지 첨점까지 오르고, 포유동물의 냄새를 맡으면 포유동물이 가지 밑을 지날 때 자신을 떨어뜨리고, 가능한 한 털이 적게 난 곳을 골라 피부 밑으로 파고 들어간다. 세개의 변용태, 이것이 전부이다. 나머지 시간에 진드기는 잠을 잔다. 때로는 수년간이나, 광대한 숲에서 일어나는 모든 일에 무관심한 채.*

"

---

* 들뢰즈 · 가타리, 김재인 옮김, 『천 개의 고원』 487쪽, 새물결, 2001. (최근 연구에 따르면 진드기는 동물의 냄새와 함께 적외선을 감지한다고 한다. 떨어질 때를 정하는 한 번의 선택을 위해서는 냄새보다는 적외선이 더 정확할 것이다.)

이야기 39. 이야기의 맥락

> 삶에서 벌어지는 무수한 사건은 스토리가 되기 전에는 순간순간의 조각난 경험들로 흩어져 있다.
>
> \- 박진 「이야기의 끈」 중에서 -

이야기들이 현실에 바탕을 둘 필요는 없다. 상상력만 따라준다면 얼마든지 다른 세계의 이야기를 창조할 수 있다. 지어낸 이야기의 규칙은 이야기하기 나름이다. 지난 밤 꿈처럼 앞뒤가 맞지 않는 이야기도 있다.

그래도 이야기가 가진 공통된 성격이 있는데, 앞뒤 맥락을 맞춰 볼 수 있다는 것이다. 꿈의 이야기들이 앞뒤가 맞지 않는다는 것은 앞뒤 사정을 같이 볼 수 있기 때문에 알게 된다. 이야기는 순차적으로 진행되고 여러 이야기가 동시에 진행되지만, 전체적인 흐름 속에서 부분의 진행을 볼 수 있을 때 '이야기'가 된다.

구체적인 일의 진행에서 앞뒤의 연결은 빈틈없이 이어져 보이고, 물질들은 전체적인 일의 진행 상황은 알 수도 없고 알 필요도 없어 보인다. 이렇게 세계가 구체적으로만 진행되어 이야기의 자리가 없다면, 일의 시간은 선분 위를 한 방향으로 움직이는 점을 벗어나지 못한다. 지난 역사는 완전히 사라지고, 빛과 진동에 담긴 정보들은 아무런 의미가 없어진다.

다행히도 우리 세계에서 일과 이야기는 공존하고 있다. 양자역학은 이 공존이 피상적인 공존이 아니라 세계의 본질적인 공존이라는 것을 보여준다. 생명이 진화한 역사는 구체적인 일로부터 이야기를 추출해서 가공하고 활용하는 방법을 전수해온 이야기다. 그래서 넓은 의미에서 삶의 이야기를 공유하고 전수하는 무의식적인 문화는 단세포 생물 때부터 시작되었다고 할 수 있다.

세포는 추출한 이야기를 필요한 습관을 구체화하고 준비하는데 쓴다. 세포들의 거대한 모임인 식물에서는 분업화된 습관을 준비하고 실행한다. 한편 뚜렷한 의식이 있는 동물의 뇌는 많은 이야기들을 압축하고 번역해서 현실 같은 가상 세계로 재구성한다. 우리는 이 재구성된 이야기 세계를 진짜 세계로 착각하며 살아간다.

세포에서 활동하는 물질들의 이야기는 다시 구체적으로 쓰일 수 있는 확실한 내용을 포함하고 있다. 이 끈에서 멀어질수록 이야기는 현실로부터 더 분리되고 대신 더 큰 자유를 얻는다. 구체적인 일들이 뚜렷하게 분리되어 일어나기 때문에, 우주는 안정적으로 펼쳐진 일의 작업 공간을 확보할 수 있었다. 그리고 이야기는 가상의 자유로운 연결을 통해 분리된 일들을 거시적인 맥락 속에서 이어질 수 있게 한다. 생명체는 각자의 이야기 프로그램을 활용해 물질로부터 보다 가치 있는 삶을 생산하고 있다.

“

인간의 서사적 능력 덕분에 우리 삶은 시간의 혼돈과 공허 속에서도 의미 있는 경험으로 변형될 수 있다. 이야기를 만든다는 것은 이질적인 것들을 종합하여 통일성과 연속성을 창안하는 일이기도 하다. 삶에서 벌어지는 무수한 사건은 스토리가 되기 전에는 순간순간의 조각난 경험들로 흩어져 있다. 우리는 날마다 조각난 경험들의 전후 맥락을 찾아내고, 그것들 사이에 관련성을 부여하고, 개별적인 상황과 사건들을 결합하여 이야기를 만들면서 살아가고 있다. 그러지 않고서는 살아갈 수 없는 존재라는 뜻에서 인간은 누구나 서사적 존재이다. …

부단히 이야기를 만드는 인간의 서사화 행위는 혼돈스러운 세상에 질서를 부여함으로써 안정감과 안도감을 얻고자 하는 우리의 욕망과도 맞닿아 있다. 서사적 욕망은 서사적 존재인 인간의 근원적인 욕망이라 할 수 있다.*

”

* 김상환 외 7인, 『이야기의 끈』 41~43쪽 (박진, 「서사와 삶: 이야기하기의 실존적 의미」 중에서), 이학사, 2021.

이야기 40. 관심이 만든 이야기 세계

감각은 세상의 혼돈을 우리가 반응하고 행동할 수 있는
지각과 경험으로 변환한다. 그것은 자극을 정보로 바꾼다.

- 에드 용 「이토록 굉장한 세계」 중에서 -

간단한 일 'A와 B가 만나 C가 된다'가 있다고 해보자. 물론 여기에서 A, B, C라는 내용으로 간단하게 표현했지만, 구체적인 일에서는 어떤 소립자 하나에 대해서도 모든 내용을 알지 못하기 때문에 표현상에서 간단한 내용일 뿐이다. 또 C로 표현한 결과는 다시 A, B로 돌아가는 내용일 수도 있고, 조금 변형된 A', B'일 수도 있고, A+B일 수도 있고, 등등 다양하게 바뀐 결과일 수 있다. 어쨌든 이런 일이 일어났다고 단순화시켜 이야기 해보자.

이 일에서 C라는 확실한 결과는 다시 다음 일의 시도로 진행한다. 그리고 이 일에서 이야기가 남는다는 것은 'A와 B가 만나 C가 된다'와 같은 가상의 정보가 남는 것이다. A와 B는 이미 지나갔고, C도 곧 지나갈 것이다. 이야기라는 결과는 C라는 구체적인 결과와 함께 다음 일을 시도하는데, 구체적인 결과 C만큼 확실한 자리와 내용을 가지고 다음 일을 일으키지는 못한다. 이것은 이야기의 무력함인 동시에 이야기의 자유다.

생명체가 복잡한 이야기를 일관된 목적으로 활용할 수 있는 이유는 다른 곳에서는 일어나지 않는 일들(복합적인 물질들의 상호작용들)이 일어나면서 그 일들에 대한 정보들이 바로 쓰이지 않고 쌓여가기 때문이다. 생명체에서 일어나는 일의 기본 골격은 '개체 A는 환경 B에서 A_1이 되어야 한다'라고 할 수 있다. 원래는 A가 B를 만나면 C가 될 가능성이 크지만, 생명체는 A_1이 되어야 하는 것이다.

그대로 A가 아니라 A_1인 이유는 C가 되어야 하는 일에서 그렇게 되지 않고 A와 비슷하게 남으려면 B에 맞게 바뀌어야 하기 때문이다. 그래서 생명체 A는 여러 가지 환경 $B_{1\sim10}$에서 A로 다시 돌아오기 위해 A 안에 $A_{1\sim10}$처럼 다양한 반응 상태를 미리 준비해 놓아야 한다. 그러기 위해서 모아온 이야기들이 일의 예상, 목표, 준비, 반응촉발 등의 과정에 가상의 일로 쓰이게 된다. 단편적인 이야기들은 무력하고 쓸모가 별로 없을 수 있지만, 맥락 속에서 연결되고 겹쳐진 이야기는 원하는 일을 유도할 수 있다.

이때 다양한 환경 $B_{1\sim10}$에 대한 이야기들, 그리고 제대로 준비하지 못한 $B_{11\sim}$에 대한 이야기들이 쌓이면서 'B를 바꿀 수 있다면'이라는 이야기가 떠오를 수 있다. 물론 단세포생물도 영양분을 찾거나 조금 더 나은 환경으로 이동하는 반응을 하기 때문에, 모든 환경 B도 그냥 주어지는 것이 아니라 찾고 활용하는 것이다. 동물은 보다 더 적극적으로 B에 관심을 둔다. 'B를 A에 맞게 바꿀 수 있다면 …'

환경을 지금 당장 생명체와 직접적으로 만나는 일들이라고 한다면, 환경을 바꾸는 일은 무작위로 이동하는 중에 우연히 만나게 되는 좋은 환경에 머무르는 일이 된다. 그러나 동물이 관심을 두는 환경은 지금 나와 맞닿은 환경이 아니라, 맞닿을 수도 있는 저기에 있는 환경 또는 얼마 전에 마주쳤다 떨어진 환경이다. 동물은 '거시적인' 환경에 관심을 갖고 알아내려 한다. 그래서 경험한 일들에서 나온 가상의 이야기를 넘어, 지금 직접 닿지 못하는 저곳의 이야기를 꾸며낸다.

“

빛은 전자기 방사일 뿐이다. 소리는 압력의 파동일 뿐이다. 냄새는 소분자일 뿐이다. 우리가 그것들을 전기 신호로 변환하거나 그 신호로부터 일출의 장관, 누군가의 음성, 또는 빵 굽는 냄새를 이끌어내는 것은 고사하고 우리가 그것들 중 하나라도 탐지할 수 있는지조차 분명하지 않다. 감각은 세상의 혼돈을 우리가 반응하고 행동할 수 있는 지각과 경험으로 변환한다. 그것은 생물학으로 하여금 물리학을 길들일 수 있게 해준다. 그것은 자극을 정보로 바꾼다. 그것은 무작위성에서 관련성을 끄집어내고, 잡다함에서 의미를 엮어낸다. 그것은 동물을 주변 환경과 연결한다.*

”

* 에드 용, 양병찬 옮김, 『이토록 굉장한 세계』 23쪽, 어크로스, 2023.

이야기 41. 사건의 재구성

> 유전자가 감독이라고 말할 수는 없다. 이 책장을 인쇄하는 데 쓰인 특정한 활자판이 인쇄 과정의 감독이라고 말할 수는 없는 것처럼 말이다.
>
> - 리처드 프랜시스 「쉽게 쓴 후성유전학」 중에서 -

일에서 나온 이야기는 뚜렷함을 잃는다. 이야기는 A에서 B로 B에서 C라는 맥락으로 이어지면서, A도 아니고 B도 아니고 C도 아닌 희미한 가상이 된다. 원래 어떤 뚜렷한 결과에서 다음 일을 시도할 때, 이것일 수도 있고 저것일 수도 있는 희미한 이야기의 성격을 띠게 된다. 그런 시도들이 다음 결과를 확실하게 맺어야, 일어날 수도 있는 불확실한 미래는 확실한 자리에 확실한 내용으로 나타나면서 과거가 된다.

이렇게 일들이 진행되면서 그 진행 과정과 평가라는 정보 또한 남아서 진행에서 한 발 물러난 이야기가 되는데, 뚜렷한 결과가 아닌 희미한 결과라고도 할 수 있겠다. 남겨진 이야기들은 다시 뚜렷한 결과에 포함되기 위해, 바로 그 이야기와 관련된 일을 기다리면서 다시 쓰이기를 시도한다.

이와는 달리 동물들의 의식에서 나타난 주위 환경에 대한 이야기는, 희미한 이야기와 뚜렷한 내용의 성격을 모두 가지고 있다. 의식은 뚜렷하게 재구성된 일과 이야기를 바탕으로 한다. 지금까지 주로 다뤄온 일차적인 이야기는, 일어나는 일들에서 벗어나고 다시 합쳐지면서 실제적인 일의 진행에 맥락이라는 효과를 불러오는 것이었다.

이 이야기를 말 없는 이야기라고 한다면 의식에서 재구성된 이야기는 말하는 이야기라고 할 수 있다. 우리가 쓰는 언어에서처럼 의식의 이야기는 실재하는 환경을 감각의 언어로 재구성해서 들려준다. 감각은 경험할 수 없는 주변의 일을 뚜렷하게 경험할 수 있는 내용으로 대체하는 몸의 언어다.

감각하는 일의 기본 골격은 '저것은 이것이다' 라고 할 수 있다. 저것에 대한 정보가 남아 있으면 말 없는 이야기가 되지만, 저것에 대한 직접적인 정보가 없기 때문에 이것으로 꾸며서 적극적으로 말해야 이야기가 통한다. 이때 문제가 되는 것은 감각이 일시적인 환상이 아니라 쓸모 있는 언어가 되기 위해서는 꾸며내더라도 그럴듯하게 반복되어야 한다는 것이다.

감각의 '이것' 은 어디에서 나온 것일까? 우리가 직접 경험하지 못한 사건을 재구성할 때, 가능한 모든 증거를 수집하려 한다. 감각이 수집할 수 있는 증거는 닿을 수 없는 저것과 그나마 가까운 일의 정보다. 감각하는 일에서는 저것과 간접적으로 연결된 일이 남긴 정보가 활용된다.

빛과 만나서 생긴 일의 정보는 빛이 없을 때의 정보와 대비된다. 빛과 만난 일의 정보는 진동과 만난 일의 정보와 대비된다. 빛의 짧은 파장과 만난 일의 정보는 긴 파장과 만난 일의 정보와 대비된다. 이런 환경과 만난 정보의 대비는, 말 없는 이야기의 차원에서 희미하게 시도되면서 새로운 내용으로 발생한다. 그리고 이 새로운 내용들(이것)이 저것에 대한 관심과 만나면서, '저것은 이것이다' 라는 현재의 이야기를 꾸며내는 내용으로 쓰인다. 감각의 '이것' 은 이런 방식으로 '저것' 을 대체할 수 있는 언어의 자격을 점차 얻어 간다.

간접적인 언어를 쓰기 위해서는 배우고 익혀서 습관화하는 과정이 필요하다. 감각수용체는 저것과 간접적으로 다시 연결되었음을 알린다. 신경전달은 즉각적으로 여러 신호들을 모은다. 신호들의 패턴에 따라 가장 가까운 이것으로 번역된다. 번역된 이것들은 함께 거시적인 환경을 재구성하는 일을 시도한다. 이 과정은 저절로 일어나는 일의 진행 과정이 아니기 때문에 언어를 익히듯이 연습을 통해 반복될 가능성을 높여가야 한다.

그렇지만 감각기관과 유전자를 통한 전수는 감각이 더 확고하게 일어나도록 준비한 결과이지 감각의 기초인 것은 아니다. 말하는 이야기의 기초에는 세포들이 환경과 만나는 활동과, 그 활동에서 나와서 다시 쓰이는 말 없는 이야기들의 오랜 시도가 있다. 경험들이 쌓이면서 새롭게 제기되는 말 없는 질문과 대답의 시도들이 있었기에 감각과 같은 특이한 내용의 일을 준비할 수 있었던 것이다.

“

우리는 흔히 유전자가 단백질 합성 과정을 지시한다고 보고, 유전자에게 감독의 기능을 맡긴다. … 이 시각의 문제는 단백질 합성에 대한 공로를, 나아가 세포 속에서 벌어지는 전반적인 일들에 대한 공로를 유전자에게만 너무 많이 부여한다는 점이다. 유전자가 단백질 합성에서 수행하는 역할은 전구 단백질을 만드는 간접적 주형으로 기능하는 것이다. 물론 주형 기능은 핵심적이지만, 그렇다고 해서 유전자가 감독이라고 말할 수는 없다. 이 책장을 인쇄하는 데 쓰인 특정한 활자판이 인쇄 과정의 감독이라고 말할 수는 없는 것처럼 말이다.

유전자 감독 가설의 대안은 내가 '세포 감독 가설'이라고 이름 붙인 시각이다. 이 시각에서 유전자는 생화학 분자들로 이루어진 앙상블의 한 구성원이고, 구성원들 사이의 상호작용이 곧 세포다. 감독 기능은 세포 차원에 존재하는 것이지, 세포의 특정 부분으로 국소화되지 않는다. 유전자는 세포가 활용하는 물질적 자원처럼 기능한다. 이 시각에 따르면, 단백질 합성의 매 단계를 안내하는 역할은 세포 차원에 있다. 특히 단백질 합성에서 어떤 시점에 어떤 유전자가 관여하는가 하는 '결정'을 유전자가 아니라 세포가 내린다는 점이 중요하다. 달리 말해, 유전자 조절은 세포 전체가 수행하는 활동이다.*

”

* 리처드 C. 프랜시스, 김명남 옮김, 『쉽게 쓴 후성유전학』 42~43쪽, 시공사, 2013.

“

DNA는 특정한 결과를 의도하는 부호를 담고 있지 않다. 오히려 유전자는 맥락에 따라 다른 방식으로 사용된다. 만약 DNA 분절 하나가 어떤 맥락에서는 신경호르몬을 만드는 데 사용되고 또 다른 맥락에서는 칼슘을 조절하는 아미노산 연쇄를 만든다면, 우리는 이 DNA 서열을 신경호르몬에 대한 '유전자'로 생각해야 하는 것일까? 아니면 아미노산 연쇄에 대한 유전자로 생각해야 할까? 그도 아니면 둘 다에 대한 것일까? (두 산물 모두 만들어지지 않는 맥락도 존재하므로) 둘 다에 대한 유전자가 아닌 것일까? 현재 나와 있는 데이터에 따르면, 때로는 한 RNA 구간이 수백가지 산물을 만들어내도록 편집될 수도 있다고 한다. … 이런 상황에서는 유전자란 한 가지 산물을 구체적으로 지정하는 뉴클레오타이드 염기들의 언제나 변함없이 유지되는 서열이라고 보는 전통적 관념을 수정해야 한다는 것이 명백하다.*

”

* 데이비드 무어, 정지인 옮김, 『경험은 어떻게 유전자에 새겨지는가』 73~74쪽, 아몬드, 2023.

이야기 42. 정보의 종합

심적 이미지는 신경 지도 수준에서는 이루어질 수 없는
정보의 통합과 조작을 용이하게 해 주는 것이라고 볼 수 있다.

- 안토니오 다마지오 -

선악의 대결을 다룬 영화를 보면 주인공의 행동에 답답할 때가 자주 있다. 대개의 경우 지켜보는 우리는 주인공보다 더 많은 정보를 알고 있다. 저쪽에서 악당들이 나쁜 일을 꾸미고 있는데, 주인공은 그것도 모르고 그 계략에 휘말려 들어간다. 물론 주인공은 그 계략에서 아슬아슬하게 벗어나지만 말이다.

답답하긴 하지만 주인공이 악당의 계략을 미리 알기 어렵다는 것을 이해한다. 악당은 주인공과 다른 공간, 다른 시간에서 일하고 있다. 영화는 이 분리된 일들을 보기 좋게 이어놓는다. 그렇지만 이렇게 이어놓아도 텅 빈 영화관에서 상영되는 영화는 악당의 계략으로 인한 주인공의 위험을 알아줄 관객이 없다. 애써 모은 정보들은 영상과 소리로 표현되며 지나간다.

뇌에서는 수많은 신경세포들이 활동하면서 정보를 처리하고 있다. 우리가 뇌의 종합적인 활동을 물질들의 이동이나 에너지의 변환 같은 것으로 이해하려 한다면, 그 이해(이야기로 엮음)는 영원히 이해할 수 없는 신비로 남을 것이다. 과학적 유물론은 신비주의와 서로 의존하며 이원론을 만들고 있다. 주인공과 악당처럼 서로 제거하려 하는 것 같지만, 실제로는 서로의 존재감을 키워주는 짝이 된다.

신경세포들의 활동과 지켜보는 의식 사이에는 수많은 일과 이야기가 있다. 세세한 일들이 어떻게 거시적인 이야기가 되는지 이해하기 위해서는, 구체적인 일들과 함께 추상적인 이야기들까지 모두 현실의 어떤 측면들이라는 것을 인정해야 한다. 감각으로 재구성된 세계는 여러 일들이 협력한 결과다. 기획과 제작, 작가와 감독, 시나리오, 스탭, 배경, 등장인물, 촬영과 편집, 관객의 관람은 이 공동 작업과 관련된 부분 작업들이다.

일에서 다뤄지는 내용은 물리적인 내용들에 제한되지 않는다. 감각을 구성하는 내용들도 다른 내용으로는 완전하게 대체할 수 없는 그만의 고유한 특징을 가지고 있다. 물리적인 일들의 내용들은 자리의 구분과 밀접하게 연관된 것으로 보인다. 그래서 두 개의 분자가 같은 자리를 차지하기 어렵다. 같은 자리에 있는 시도를 하지 않는 것이 아니라, 서로 어울릴 수 없는 시도라서 뚜렷한 결과를 내지 못하는 것이다. 그나마 서로 결합된 물질들은 시도와 결과의 리듬을 맞추면서 다음 일을 함께 시도한다. 일의 리듬을 맞출 수 있기 때문에 결합해서 함께 일하고 있는지도 모른다.

물리적인 내용들은 서로간의 맥락을 연결할 겨를이 없이 바로 다음 결과를 도출하며 쓰인다. 생명체에서 일어나는 일들이 욕구, 습관, 준비 같은 맥락 속에서 일어날 수 있는 것은, 빠른 리듬의 물리적인 일에서도 이야기가 남아서 이를 모으고 연결할 수 있는 가능성이 있기 때문이다. 뇌의 신경세포에서 일어나는 일들도 구체적인 결과들을 만들며 지나가지만 그에 대한 이야기를 남긴다. 그러나 이 이야기들은 신경세포 활동에 대한 이야기이지 외부세계에 대한 이야기는 아니다. 외부세계에 대한 정보들은 이들 사이에 숨겨져 있다.

이 암호로 숨겨진 이야기를 즉시 변환하기 위해서는 다른 준비가 필요하다. 전선을 따라 흘러다니는 신호들처럼 신경세포들은 단순화된 신호들을 주고받을 뿐이다. 0과 1의 신호로도 무한하게 구분되는 정보를 전달할 수 있다. 그러나 그것을 활용하기 위해서는 준비된 신호 변환 방식이 필요하다. 결국 다양한 감각, 감정, 상상을 구분하고 가공하고 저장하는 것은 뇌신경의 신호 전달 방식 자체만으로는 불가능한 것이다.

감각의 내용들은 물리적인 내용들보다는 자리의 제한이 덜하다. 색깔들과 모양들은 옆으로 완전히 이어질 수 있다. 색깔과 소리와 향기는 같은 자리에서 표현될 수 있다. 감정의 내용들도 이들과 같이 나타날 수 있다. 이들은 나눠진 결과를 내기 쉬운 물질들과는 달리, 함께 어울려서 종합된 결과를 만들며 일할 수 있다.

감각을 이루는 내용들은 오랜 경험의 이야기 속에서 찾아졌을 것이다. 빛에 대한 수많은 경험들을 대비시켜 그 대비를 직관적이고 종합적으로 표현할 수 있는 명암, 색깔, 모양을 찾는 일이 오랜 시간에 걸쳐 서서히 시도되었을 것이다.

신경세포의 구체적인 신호 자체는 광범위하게 종합될 수 없지만, 그 일들에 대한 이야기는 종합될 수 있다. 그래서 종합된 신호들의 정보가 서로 대비되면서, 대비의 양상이 비슷한 감각 내용들과 연결되어 변환될 수 있다. 뇌에서 전해지는 0과 1의 신호들은 이런 일들을 거치며 다양한 내용들로 번역되고 종합되어야 그 숨은 의미가 드러난다. 그래서 우리는 악당이 계략을 꾸미고 있는 것을 알 수 있고, 그 장면은 지나갔지만 주인공의 현재 상황과 겹쳐지면서 위험이 감지되고 긴장감은 고조된다.

“

심적 이미지는 신경 지도 수준에서는 이루어질 수 없는 정보의 통합과 조작을 용이하게 해 주는 것이라고 볼 수 있다. 아마도 이러한 새로운 기능을 수행하기 위해서는 심적 수준에서의 작용이 ‘기존의’ 신경 지도 수준 이외에 추가적인 생물학적 특성을 가지고 있어야 할 것이다. 그러나 그렇다고 해서 데카르트의 사상에서처럼 심적 수준의 생물학적 작용이 또 다른 실체에 기초하고 있음을 의미하는 것은 아니다. 복잡하고 고도로 통합된 심적 절차에 의한 이미지는 여전히 생물학적이며 물리적이라고 볼 수 있다. …

간단히 말해서 심적 이미지가 없다면 생명체는 안녕은 차치하고 생존에 필수적인 대규모의 정보 통합을 적시에 이루어 내지 못할 것이다. 뿐만 아니라 자아 감각이나 자아 감각을 포함하고 있는 느낌이 없다면 그와 같은 대규모로 이루어지는 정보의 심적 통합이 삶의 문제, 즉 생존과 안녕의 성취로 향하지 못할 것이다.*

”

* 안토니오 다마지오, 임지원 옮김, 『스피노자의 뇌』 240~241쪽, 사이언스북스, 2007.

이야기 43. 상황과 반응 사이

'조화'는 논리적 양립 가능성 이상의 것이며,

'대립'은 논리적 양립 불가능성 이상의 것이다.

예술가는 논리학자에게 조언을 구하지 않는다.

- 화이트헤드 -*

"이게 다 먹고 살자고 하는 일"이라는 말을 종종 하게 된다. 아무리 급하고 중요한 일이 있어도 먹는 일을 계속 미루면서 지속할 수는 없다. 어떤 주어진 상황에서 그에 맞는 반응을 하기 위해서는 영양분에 담긴 쓸 수 있는 에너지가 필요하다. 특히 동물은 몸을 움직이고 격렬한 반응을 하는 데에 많은 영양분의 에너지를 쓰고 있다.

상황에 반응한다는 것은 그 상황을 거부하지는 못하지만 곧이곧대로 받아들이지는 않겠다는 것이다. 자연을 그대로 수용할 수도 없고 그렇다고 거부할 수도 없는 이 딜레마를 해결하는 유일한 길은 자연에 또 다른 자연을 끌어들이는 것이다. 이것은 부자연이라기보다는 자연의 유연함으로 볼 수 있다. 자연스러운 일은 그동안의 방식을 제시하는 측면과 함께 또 다른 길을 모색할 수 있는 여지를 준다.

동물들의 진화는 이 반응의 여지를 넓혀 왔다. 상황 파악하는 눈

* 화이트헤드, 오영환 옮김, 『관념의 모험』 401쪽, 한길사, 1997.

치는 추가할 수 있는 감각이 아니라 동물의 기본 감각이고, 반응을 자주 바꾸는 변덕은 특이한 성격이 아니라 동물의 기본 성격이다. 듣기 좋게 말하자면 동물의 삶은 언제든 예술적이다. 방향만 바꿔도 그의 세계는 180도 달라질 수 있다. 눈치, 변덕, 예술은 묘하게 통한다. 새로운 요소에 대한 민감함, 이랬다가 저랬다가 바꿔보는 시도, 더 나은 상황 속에 머무름.

그러나 머무름은 임시방편이다. 상황은 무한하게 다양하고 변덕도 무한하게 다양하다. 동물의 변덕이 무한할 수 있는 이유는 무한한 상황들로 옮겨갈 수 있기 때문이다. 몸의 변덕과 마음의 변덕과 상황의 변덕까지 더해지면서, 동물의 삶은 고도의 예술을 향해 가지 않을 수 없다.

특히 뇌는 눈치와 변덕의 기관이다. 동물의 상황 파악과 활동 영역은 분자들과 세포들에 비해 거시적이다. 그렇게 거시적일 수 있는 이유는 감각 현상이라는 정보의 거시적인 종합과 근육을 통한 거시적인 운동 조절 덕분이다. 거시적인 일의 진행에서 세세함은 생략될 수 있어 보인다. 그러나 이 거시적인 파악과 활동의 확고한 진행에는 뇌의 신경세포들에서 일어나는 분자와 세포 수준의 미시적인 활동이 있어야 한다. 주어진 자연과 직접 만나서 대응하는 자연은 이 구체적이고 미세한 활동들인 것이다.

뇌에 수많은 신경세포들이 있는 것은 상황과 반응 사이에 아주 복잡하면서 유연한 경로들을 마련해 놓기 위해서이다. 이 중간 경로들을 바탕으로 거시적인 눈치와 변덕이 작동할 수 있게 된다.

신경세포의 신호들은 말초의 감각신경에서 시작해서 뇌의 복잡한 경로를 거쳐 다시 말초의 운동신경으로 전달된다. 이 흐름을 유지하기 위해서는 많은 영양분들의 유용한 에너지가 필요하기에 이 세세한 흐름을 거시적인 차원에서 곧바로 일으킬 수는 없다.

눈치와 변덕은 뇌의 좁고 복잡한 미로에서 어떤 탈출 경로를 일일이 안내하는 방식으로 상황과 반응 사이에 끼어든다. 감각신경의 신호들은 뇌로 모이며 정보의 종합에 쓰인다. 뇌에서는 정보들이 종합되면서도 신호들의 흐름이라는 구체적인 일의 끈을 잠시도 놓치지 않고, 반응으로 향하는 다양한 경로들 중에서 종합된 정보에서 도출된 특징 경로로 가는 길로 신호를 유도한다.

이렇게 뇌는 에너지의 흐름과 정보의 흐름을 병행시키며 눈치와 변덕의 기관으로서 준비된 능력을 예술적으로 발휘한다. 의지의 자유롭고 고독한 결단은 준비된 능력과 장치들을 무시한 거시적인 비약이다. 예술의 고난한 길은 아름다운 결과에 취해 잊히기 쉽다.

“

신체의 역할은 진화선상에서 볼 때 ‘감각-운동 능력’이다. 신체의 근본 기능인 신경계와 뇌는 본래부터 인식을 향한 것이 아니라 외적 자극을 수용(감각)하고 거기에 반응(운동)하는 것이 체계화된 것이다. …

하등동물이 주로 접촉에 의해 행동한다면 고등동물은 시각과 청각에 의해 삶을 영위한다. 시각과 청각은 동물에게 더 많은 행위의 선택지와 숙고할 시간을 남겨준다. 동물에게 남겨진 독립성과 비결정성의 영역은 사물들의 수와 거리를 선천적으로 가늠할 수 있게 해준다. 칸트의 감성 형식이란 베르그손의 관점에서 볼 때는 다름 아닌 이러한 고등동물의 행동 방식과 관련된 것이다. …

유기체가 복잡해짐에 따라 생리적 작용들은 세분되어 신경세포들이 나타나고 점차 고차적인 방식으로 조직된다. 고등동물에서 신경계는 현저히 복잡해지는데 이는 외적 자극에 다양한 반응으로 응답할 수 있게끔 무한한 길을 열어 준다. 동물은 이와 같은 무한한 선택지로 인해 자극이 반응으로 연장될 때 충분히 숙고할 수 있다. 뇌수의 역할은 바로 여기에 있다. 뇌피질의 감각세포들은 척수의 운동기제들을 자발적으로 취하여 반응을 선택하는 작용을 할 뿐이다. 즉 그것은 자극을 '분석'하고 행사할 운동을 ‘선택’한다. 뇌수는 여러 방면에서 오는 정보를 분석하고 이를 적절한 곳에 연결해 주는 ‘중앙전화국’과 같은 것이다.*

”

* 황수영, 『베르그손, 지속과 생명의 형이상학』 65~67쪽, 이룸, 2003.

이야기 44. 현상과 의식

움직임 속의 짧은 머무름 그것이 삶의 기쁨인지도 모른다.

- 김화영 「여름의 묘약」 중에서 -

감각 정보들을 통해서 재구성할 수 있는 세계는 수없이 다양할 수 있다. 실제로 다양한 동물들이 다양한 방식으로 감각 정보를 재구성하고 있고, 한 사람도 그때마다 재구성한 결과가 조금씩 다를 가능성이 있다.

그러나 감각은 외부 상황에 따라 적절한 반응을 해야 하는 생존의 맥락 속에 있다. 즉각적인 인식과 반응을 위해서는 뚜렷한 내용들로 종합되면서 현상이라는 하나의 결과를 만들어야 한다. 이럴 수도 저럴 수도 있는 희미한 이야기들 속에서 이러지도 저러지도 못해서는 살아남기 어렵다.

현상은 외부에 대한 이야기를 재구성하는 시도들 속에서 선택한 일의 결과다. 그래서 이야기로서의 성격과 뚜렷한 일의 결과로서의 내용을 동시에 가지고 있는 특이한 일이다. 그 자체가 아닌 다른 것을 보여주지만 뚜렷하게 나타난다는 의미에서 '현상'이라고 이름 붙일만하다.

현상을 이루고 있는 감각 내용들은 뚜렷한 특징을 가지면서 다른 내용들과 함께 결과를 나타낼 수 있는 것들로 구성되어 있다. 그래서 수많은 외부 정보들은 현상이라는 결과에서 직관적이고 종합적으로 드러난다. 그리고 현상의 뚜렷한 결과는 그 자체로 다음 일을 일으킬 수 있는 확고한 바탕이 된다. 현상과 뇌신경 활동은 즉각적인 상호 변환과 쓰임을 위해서 서로 의존하지만, 일의 존재 자체에서 의존하는 것은 아니다. 그래서 이미 만들어진 현상의 결과는 뇌와 분리된 일로 진행될 가능성도 있다고 생각한다.

몸을 통해 외부 정보가 계속 들어옴에 따라 현상은 계속해서 재구성되는 결과들로 흘러간다. 이전 결과에서 다음 결과로의 진행은 다시 이야기를 만든다. 한 시점에서 현상의 내용은 외부에서 일어나는 일을 대신해서 나타나고, 현상의 진행은 다시 이에 대한 이야기를 만드는 것이다.

외부에서 일어나는 일들은 뚜렷한 현상의 이어짐을 통해 감각 내용들과 정서적인 평가들로 이루어진 거시적인 이야기로 만들어져 모인다. 세포에서 물리적인 일들의 이야기가 계속 쌓이면서 쓰이는 것과 마찬가지로, 뇌에서는 감각과 정서의 내용으로 변환된 이야기들이 쌓이면서 쓰이게 된다.

이야기는 관련된 일들을 따라다니며 다음 일을 시도한다. 따라서 세포에서 이야기들을 저장하는 장소가 따로 있지 않듯이, 뇌에서도 이야기들을 저장하는 영역이 따로 있어서 현상의 이야기가 저장되는 것이 아니다. 뇌에는 세포와는 다른 내용의 이야기들이 모이는 것이지 이야기를 독점하는 기관인 것은 아니다.

단, 남겨진 이야기를 세포에서처럼 뭉뚱그려 쓰지 않기 위해 뇌는 이야기와 관련된 일들을 분산시키면서 다양한 용도로 사용할 수 있게 한다. 이야기의 진행에 대한 일반적인 유형화, 이야기의 세세한 내용이 남아 있는 사례 기억, 겹쳐서 행동하는 습관과 숙련됨, 언어로 연결시키고 일반화하는 개념들, 감정이라는 강한 평가를 덧붙인 충동 등등 다양한 이야기 가공 방식이 있다.

남겨진 이야기들이 다시 쓰이는 데에도 특별한 방법이 필요한 것이 아니다. 이야기는 그 사용 조건을 필요로 하는 일로써 다음 진행을 시도하고 있다. 잊힌 기억이 어떤 실마리로 떠오르는 것처럼, 연관된 상황이라는 조건이 갖춰지면 자동적으로 그 일과 이야기에 포함되면서 쓰이게 된다. 무엇보다 먼저 지금 외부에서 일어나는 일들의 진행을 예상하고, 그에 대한 반응을 미리 결정하는 일에 연관된 이야기들이 자동으로 끼어든다.

이렇게 현재의 외부 상황에 대한 뚜렷한 현상을 만들고 그와 관련된 이야기를 같이 활용해서 적절한 반응을 할 수 있는 상태를 의식이라고 할 수 있겠다. 의식하는 일에서는 상황과 반응, 현상과 이야기, 예상과 실제의 뒤엉킨 리듬이 맞물려 돌아가는 순간을 이어지는 이야기로 다시 종합하면서 관심의 초점을 조절한다.

이 장의 시작에서 제기했던 마음과 세계 사이의 투명하면서도 분리된 유리벽에 대해 다시 얘기해 보자. 마음은 세계를 '자기' 안에 재구성한다. 그리고 '자신'의 입장에서 해석하고 그에 대한 반응을 다시 세계에 표출한다. 우리가 보통 '나의 마음'이라고 느끼는 상태는 외부 세계를 흡수하면서 그에 맞는 이야기를 활용하는 상태, 즉 의식하는 일의 모임이다.

일의 모임은 기준에 따라 다양하게 나누고 묶을 수 있다. '나'라고 하는 모임도 그렇다. 예를 들어 태어나면서 지금까지 이어지는 생명의 연속, 현재의 생명 활동을 하는 몸과 마음, 나의 사회적 관계와 하는 일들, … 그러나 그중에서도 의식이라는 나의 모임이 특별한 이유는 의식 상태에서만 할 수 있는 일 때문이다.

의식에서 '나'와 관련된 수많은 정보들은 서로 공유된 상태로 일한다. 어린 시절에 있었던 일부터 먼 미래의 계획, 몸의 움직임과 고도의 추상 세계, 무의식적 습관과 본능적인 반응까지 의식에서 같이 일할 수 있도록 준비되어 있다. 의식은 여러 일들이 동시에 함께 일할 수 있도록 모인 '어울린 일'이다. 어울린 일에서는 그에 포함된 각각의 요소들에 더하여 어울린 효과까지 같이 일하게 되면서 더 다양한 방식의 일을 할 수 있게 된다.

마음의 유리벽은 의식이라는 광범위하고 유연한 어울린 일이 가진 이중의 성격 때문에 생긴다. 의식에서는 그동안의 삶에서 얻은 많은 이야기들이 어울려 있는 동시에, 그 내용 그대로 돌아오지 않고 끊임없이 새로운 이야기를 흡수하고 사용한다. 이렇게 자아로서의 성격과 외부와의 교류하는 성격이 모두 강하기 때문에, 차단하면서 투과하는 유리벽에 비유될 수 있다. 의식은 폭넓은 세계를 좁혀진 간격의 이야기로 어울리게 만들어 일한다.

"

길고 긴 여로의 끝, 마침내 도착한 집. 무거운 짐을 부려놓고 서늘한 물로 손과 얼굴을 식힌다. 얇은 옷으로 갈아입고 덧문을 활짝 열어젖힌다. 오! 목을 쓰다듬는 바람의 가벼움이여, 날아갈 것 같은 홀가분함이여! 나는 여행에서 이 시간을 가장 좋아한다. 수단으로서의 긴 여행은 끝났다. 이제 설레는 기대와 즐거움의 시간만이 망망대해처럼 앞에 펼쳐진다. 움직임은 수단이고 머무름이 비로소 삶인 것인가? 아니, 움직임 속의 짧은 머무름, 그것이 삶의 기쁨인지도 모른다. 왼발이 앞으로 나가고 오른발이 아직 뒤에 있을 때 그 중심에 머무는 몸의 짧은 순간, 전신의 모공을 열어 빨아들이는 세상의 빛과 냄새와 소리와 촉감, 그것이 여행이다.*

"

* 김화영, 『여름의 묘약』 164~165쪽, 문학동네, 2013.

이야기 45. 빈 틈 없는 세계의 오류

빛을 우러러 모시지 마시게

두 눈이 멀게 되리니

- 김순일 「어둠의 말씀」 중에서 -

현상의 이야기는 그 자체로도 거시적인 이론의 성격('세계는 지금 이렇게 진행되고 있다')을 갖고 있다. 현상은 세계를 반영하고 있지만 세계 그 자체는 아니다. 그런 점에서 현상의 이야기는 가상현실이기도 하고 증강현실이기도 하다.

외부 세계 그리고 그와 맞닿은 우리 몸은 각각 진행되고 있는 수많은 일들이다. 대부분의 현실은 종합적으로 진행되는 것이 아니라 연결과 분리가 교차하면서 진행된다. 현상에서는 여러 일들이 '같이' 나타난다는 점에서부터 이미 증강된 가상현실이다.

현상의 이런 측면 때문에 칸트는 물자체와 현상의 구분을 강조했다. 현상의 기초 배경이 되는 시간과 공간조차도 현실 세계의 시간과 공간과는 다를 수 있기 때문이다. 경험은 세계와 만나는 일들(감성)에서 시작되지만 세계 그 자체 모두를 알 수는 없다. 우리가 모델을 만드는 이상 오류는 피할 수 없다.

'세계'라는 말에도 이미 이론이 들어 있는데, 세계를 이루는 각각의 세세한 일들이 거시적인 '세계'로 통합되기 때문이다. 양자역학의 다세계해석은 세계를 일단 하나로 가정하고 완전히 분리되는 여러 세계를 말한다. 그러나 완전한 하나와 완전한 여럿에서 '다양한 시도'나 '여럿의 공존'은 무의미해지고, 더 이상 '세계'라고 할 수 없는 것이 된다.

우리는 칸트가 치밀하게 검토한 현상의 가공과 활용 과정에 대한 이야기를 수용하면서도, 미지의 물자체와 인식되는 현상의 존재 구분을 그대로 놔두지는 않는다. 현상에서부터 판단과 추론으로 이어지는 과정은 정해진 진행 형식에 따라 일어난다. 우리는 칸트의 주장을 확장해서 물자체, 물자체와 만나는 감성, 감성에서 시작되는 주체의 종합, 종합된 이야기를 활용하는 실천, 새로운 이야기를 떠올리는 상상이 모두 일의 진행 형식에 따라 일어난다고 주장한다. 그렇지만 그 형식은 유연한 변주의 형식이고, 다양한 내용으로 펼쳐질 수 있는 형식이다.

얻는 것이 있으면 잃는 것이 있다. 세계를 순간적인 일 속에 압축해서 담기 위해서는 과감한 전환이 필요했다. 현상이라는 모델화에서 잃은 것을 회복하기 위해서는 먼저 칸트의 충고를 기억할 필요가 있다. '현상은 그 출발부터 물자체의 내용과는 다르다.'

현상에서 시공간은 완전히 이어져 보인다. 전체적인 뚜렷함은 배경이 이어지는 틈을 제거한다. 사물들은 자체적으로는 완전히 이어지고, 서로 간에는 완전히 분리되어 있다. 현상에서 잃기 쉬운 것은 틈을 만드는 일들, 뚜렷함 속에 감춰진 희미한 이야기들이다. 그러나 물자체와 현상도 이 희미한 틈에서 다시 생겨난다.

“

어둠의 말씀

김순일

빛을 닮겠다고 따라하지 마시게
빛을 우러러 모시지 마시게
두 눈이 멀게 되리니

빛만이 정의라고
신전을 세우고 춤을 추지 마시게

낮이 가면 밤이 오고
밤이 가면 낮이 오고

빛과 어둠은 겉과 속

해가 지니
호랑이도 개미도 날파리도
어둠의 집으로 가네

자신의 뒤뜰을 쓸고 잠시
빛나는 어둠의 눈빛을 보시게*

”

* 김순일, 『두 그루의 가시나무』 60쪽, 지혜, 2019.

정선희

5장

가치와 연결

이야기 46. 의미와 가치

세상에 수없이 많은 장미가 있더라도 그건 아무 의미가 없어.

네가 길들인 건 이 세상에서 단 한 송이 뿐이니까.

-「어린왕자」 중에서 -

삶의 의미는 무엇이고, 가치 있는 삶이란 어떤 삶일까?

이런 중요한 질문들에 대한 구체적인 대답을 우리의 구상을 통해서는 얻기는 어려울 것 같다. 삶을 일종의 예술로 보았을 때 이런 질문들에 대해 똑 부러진 대답을 할 수 없음을 예감할 수 있다. 예술에서 어떤 단순한 요소의 추가가 불러오는 효과는 단순하지 않은 경우가 많다. 그래서 삶에 예술적인 측면이 더해질수록, 삶의 순간들에 대한 의미와 가치는 그만큼 더 바뀌기 쉽다. 그나마 한 가지 확신할 수 있는 것은 사람은 모두 저마다의 방식으로 삶의 이야기를 다시 만든다는 점에서 유일무이한 예술 작업이라는 것이다. 누구도 한 명의 인간으로서만 살지는 않는다.

종종 생각해보게 되는 삶의 의미와 가치의 문제는 구체적인 내용들이 생략된 채 대답할 수 있는 것이 아니다. 내용들의 세세한 뒤엉킴 속에서 숨은 의미와 가치가 발생하기도 하고 묻히기도 한다. 그래서 뛰어난 예술가에게도 버려지는 습작들이 있고, 평범함에 의미와 가치를 씌워버리는 현대미술 작품들이 있다. 현 시대의 예술과 사상은 전통적인 의미와 가치에 대한 의문이 중요한 내용으로 포함되면서 의미와 가치의 발생과 변화를 강조한다.

그렇다면 우리는 일의 의미와 가치에 대해서 어떤 것을 말할 수 있을까? 우선 잊지 말아야 할 점은 우리 삶에서 예술적인 측면이 점점 더 강화되어 왔다는 것이다. 주어진 내용들에 새로운 내용을 추가할 수 있는 예술적인 능력은 오랜 전통을 통해서 획득되고 강화된 능력이다.

그런 전통에는 미술 역사상의 경향처럼 시대에 따라 가볍게 평가 절하될 수 있는 전통도 있지만, 몸의 감각 기능 같은 거부하기 힘든 전통들도 있다. 생물학적인 전통 말고도 자본주의 구조 같은 사회적인 전통도 모든 예술 분야에 거부하기 힘든 전통으로 작용하고 있다.

주어진 조건을 수용할 수밖에 없으면서도 그대로 수용하지는 않는 생명 활동의 진행 과정은, 그 정도의 차이가 있지만 다른 모든 일에 포함되어 있다. 일어나는 일에서 주어지는 내용들과 새롭게 끌어들이는 내용들이 어떤 관계에서 연결되는 것인지가, 우리가 의미와 가치와 관련해서 먼저 살펴볼 문제들이다.

이를 통해서 전통이 어떻게 수용되고 바뀌는지, 의미와 가치는 어떻게 발생하는지에 대해서, 구체적이지는 않지만 대략적인 대답을 할 수 있지 않을까. 정말 물리적인 일들에서도 전통의 변화와 가치의 도약이 일어나는 것일까? 모든 일의 진행 형식이 같다는 주장을 하기 위해서는 이 질문에 대해서도 답해야 할 것이다.

"

오랫동안 길을 걷자 장미가 오천 송이나 피어 있는 정원이 나왔습니다.

"내 장미는 이 세상에서 자기가 단 하나뿐이라고 했는데!"

어린 왕자는 풀밭에 주저앉아 울음을 터트렸습니다.

"나를 길들여 줘."

여우가 나타난 건 바로 그때였습니다.

"나에게 이 세상에서 단 하나뿐인 소년이 되어 줘."

"너에게 수천 마리의 여우들 중 단 한 마리의 여우가 되게 해 줘."

"세상에 장미는 한 송이어야만 하는데 …"

어린 왕자가 말했습니다.

"세상에 수없이 많은 장미가 있더라도, 그건 아무 의미가 없어. 네가 길들인 건 이 세상에서 단 한 송이뿐이니까."

여우가 말했습니다.*

"

---

* 생텍쥐페리, 박소연 옮김, 『어린왕자』에서 발췌, 달리 출판사, 2021.

이야기 47. 외계 생명체

몸은 하나의 거대한 이성이며
하나의 의미로 꿰어진 다양성이고
전쟁이자 평화이며
가축의 무리이자 양치기다.

- 니체 -

이 넓은 우주에 우리와는 다르지만 서로를 한 눈에 알아볼 수 있는 외계 생명체가 정말 있을까? 일들이 자체적으로 이야기를 모아서 활용할 수 있다는 우리 가정에 따르면, 외계 생명체는 분명히 우주 어딘가에 살고 있을 것이다.

생명의 발생을 위한 가장 중요한 선결 조건은 독특하고 다양한 물질들이 물과 같은 액체 속에서 상호 반응을 반복하는 것이다. 다른 곳에서는 쓰이기 어려운 그들만의 이야기들이 쌓여 가면, 우연히 일어나는 반응이 아니라 공동의 맥락 속에 한 기능을 담당하는 조직된 반응들이 되어갈 수 있다.

만약 우주 탐사선이 보내온 영상에서 우연으로는 만들어지기 힘든 구조물들이 여럿 보인다면 사람들은 흥분에 휩싸일 것이다. "틀림없이 외계인들이 사는 행성이다!" 우연으로 만들어질 수 있는 구조가 있고 그렇지 않은 구조가 있다.

어떤 이유에서인지 움직이는 생명체들은 보이지 않는다 해도,

그 구조물들에는 분명 외계인이 그것을 만들고 활용하는 모습을 떠올릴만한 측면들이 있을 것이다. 그래서 탐사선을 조종할 수 있거나 인공지능이 알아서 탐사를 계속한다면, 외계인이 숨어 있을 만한 장소를 찾아볼 것이다.

혹시 영화에서처럼 우리 몸이 아주 작아져서 세포 속을 탐험할 수 있다면 이와 비슷한 기분이 들지 않을까. 우연히 만들어졌다고 보기 힘든 아주 정교한 구조물들이 많이 보이지만, 딱히 그것을 만들거나 쓰고 있는 지능 있어 보이는 생명체가 따로 보이지는 않는다.

일부 생물학자들은 세포 속을 탐사하면서 만나게 된 외계인 같은 역할을 유전자가 하고 있다는 듯한 주장을 해왔다. 물론 우연의 신봉자인 그들은 비유적인 표현일 뿐이라고 서둘러 덧붙인다. 사실 유전자는 생명의 설계자도 아니고, 설계도도 아니고, 통치자도 아니고, 전달하기에 알맞은 암호로 된 구조물이다.

잘 작동하고 있는 정교한 암호해독 시스템에서 암호를 무작위적으로 바꾸면서 더 잘 작동하기를 바라는 것은, 마치 복권 구매만으로 현재의 생존과 다가올 미래를 대비하는 듯한 허황된 기대로 보인다. 어떤 살아있는 모임은 언제나 해결해야 할 새로운 과제 상황에 놓여 있다. 그 어려운 해결의 시도들을 주로 우연한 변화에 의존한다면, 그 모임은 더 이상 살아있는 모임이라고 할 수 없을 것이다.

정보의 활용은 의식이 있어야만 일어날 수 있는 것이 아니다. 반대로 의식이 무의식적인 정보 활용을 기반으로 일어난다. 외계 생명체를 찾아나서기에 앞서 우리 몸의 생명 활동을 제대로 찾아야 한다. 우연은 서로 다른 여럿이 다양한 시도를 하며 마주치는 세계의 당연한 측면이지만, 생명은 우연한 일에서 생긴 경험의 이야기를 모아서 다시 쓴다. 죽음으로 자연선택되기를 그냥 기다리지 않고 정보를 활용하여 살기 때문에 생명인 것이다.

우리가 물질이라고 생각하는 것들도 처음부터 그런 물질들이었던 건 아니다. 언제든지 빛처럼 흩어져버릴 수도 있는 일들에서, 자체적으로 되풀이할 수 있는 리듬을 만들어낸 일의 모임이다. 일은 지난 결과를 바탕으로 새롭고 다양한 일을 끊임없이 시도한다. 그 시도들은 우연하기만 한 시도들이 아니라 기존의 시도에서 생긴 정보들이 같이 일하는 시도다.

뇌에 외계인이 살고 있지 않듯이 세포에도 외계인이 살고 있지 않다. 우리 의식에서 감각 정보들이 모이고 쓰이는 것만큼이나 지혜롭게, 세포에서는 복합적인 물질들의 반응에 대한 세밀한 정보들이 모이고 쓰인다. 몸에서는 의식과는 다른 언어를 사용하는, 외계인의 작업이라고 여겨질만한 일들이 수없이 일어나고 있다. 의식은 그런 세포들의 활동에 의존해서 거시적인 정보들을 활용할 수 있게 된 일의 모임이다.

"

각성한 자, 지자(智者)는 이렇게 말한다. "나는 전적으로 몸이며, 그 밖의 아무것도 아니다. 그리고 영혼은 몸에 속하는 그 어떤 것을 표현하는 말에 지나지 않는다."

몸은 하나의 거대한 이성이며, 하나의 의미로 꿰어진 다양성이고, 전쟁이자 평화이며, 가축의 무리이자 양치기다.

형제여, 그대가 정신이라고 부르는 그대의 작은 이성도 그대 몸의 도구이며, 그대의 커다란 이성의 작은 도구이고 장난감이다.

그대는 자아라고 말하면서 이 말에 자부심을 느낀다. 그러나 보다 위대한 것은, 믿고 싶지 않겠지만, 그대의 몸이며 그대의 몸이라는 거대한 이성이다. 이 거대한 이성은 자아를 말하지 않고 자아를 행동한다.*

"

* 니체, 장희창 옮김, 『짜라투스트라는 이렇게 말했다』 50~51쪽, 민음사, 2004.

이야기 48. 특별함을 만드는 평범한 일

애초부터 예술은 뜬구름을 잡아다 박제하는 일이었다.

- 이슢오 「꿈꾸는 낭송 공작소」 중에서 -

새로운 인연을 만나는 것은 누구에게나 특별한 일일 것이다. “우리가 어떻게 친해지게 됐을까?”, “우리는 참 잘 맞는 짝인 것 같아.” 또는 “저 인간 좀 안보고 살 수 없나.”, “앞으로 다시는 마주치지 말자.”

뭔가 특별한 것들이 계속 생겨나고 있음이 틀림없다. 그렇지 않고서는 이런 상호반응은 일어날 수 없을 것이다. 그 특별함이 반복되거나 강렬할수록 더 두드러지는 일들이 그에 이어서 일어나게 된다. 좋은 인연은 더 좋게 나쁜 인연은 덜 나쁘게 만드는 것이 삶의 기술이자 예술이다.

두드러지게 드러나는 일들만 있는 것은 아니다. 사실 대부분의 일들은 배경으로 지나가고 있다. 별다른 의미도 별다른 가치도 없어 보이는, 더 정확하게 말하면 주목하기 전에는 있는지 없는지도 모르게 일어나는 일들이 널려 있다.

대부분의 생각들은 모호한 채로 지나간다. 말에도 입 밖으로 나오지 못한 말들이 있고, 그런 관심조차 못 받는 말 같지 않은 말들이 있다. 그런 모호한 생각과 말이 나중에서야 “맞아! 바로 그거였어”라며 특별해지기도 한다.

일이 지향하는 공통의 가치가 있다는 것은 이런 모호한 일들에도 나름의 가치가 있다는 말이다. 일의 의미와 가치는 외부에서 부여되기 이전에도 자체적으로 지니고 있다. 아무 이유도 없이 일어나는 일도 없고, 아무 일도 없었다는 듯이 사라져 버리는 일도 없다.

우주의 칠흑 같은 어둠 속 아무것도 없어 보이는 진공에서 일어나는 에너지들의 요동도, 시작된 이유가 있고 나름의 시도 속에서 결과를 남긴다. 우리가 보기에는 하찮아 보일지 몰라도, 주목할 만한 특별한 일들도 그런 소소한 일들이 만든 결과들이 쌓이면서 생겨난다.

하찮은 일은 없다. 우리가 그렇게 생각하는 일들이 있을 뿐이다. 특별함은 주어지는 것이 아니라 일을 통해 만들어왔고 다시 만들어가는 것이다. 바로 지금 그 자리에 다른 일이 아닌 바로 그 일이 도약을 시도하며 다시 일어나는 것이야말로 특별함의 바탕이다.

가끔은 일을 생각의 틀에 가두려 하지 말고 흐름에 일을 맡겨보자. 말 없는 일들의 미세한 도약들이 느껴질 때, 평범함의 특별함을 누릴 수 있게 된다.

“

가까운 친구의 전화번호를 기억하는 것도 기계가 대신하는 요즘에 시를 외운다는 것이 얼마나 불편한 일인가. 무엇이든 검색하면 전문가 수준으로 알아내 정리할 수 있는 시대에 정답도 없는 시인의 의도를 읽어내려 하는 것은 또 얼마나 수고로운 일인가. 물질적으로 풍요로운 세상에서 보이지도 않는 무형의 마음을 음성으로 전한다는 것이 얼마나 무모한 일인가. 시 낭송이야말로 불가능하면서 퇴행적인 행위의 원형 같아 보일지도 모르겠다. 노인은 그렇기에 더더욱 존재할 가치를 지닌다고 주장한다.*

애초부터 예술은 뜬구름을 잡아다가 박제하는 일이었다. … 노인은 시 낭송이야말로 저 하늘의 뜬구름을 바가지로 퍼다가 살아 있는 듯 고정시키는 일일지도 모르겠다고 생각했다. 노인 앞에 던져진 시들은 뜬구름처럼 제 모습을 순간순간 바꾸며 흐르고 있었고, 낭송은 추상의 모양을 실감 나게 잡아가는 박제의 과정과 지독히도 흡사했다.**

하나의 목소리로 천 개의 느낌을 만들어내는 넉넉함, 그것이 성우의 존재 이유이고 가장 큰 매력입니다. … ‘뛰어나다’ 는 타자와의 비교 우열을 내포하고 있지만 ‘넉넉하다’ 는 자신의 문제로 집중되기에 더욱 의미가 분명하죠.***

”

* 이숲오, 『꿈꾸는 낭송 공작소』 138쪽, 문학수첩, 2023.
** 같은 책 170쪽.
*** 이숲오, 『성우의 언어』 35쪽, 시간의 물레, 2021.

이야기 49. 새로운 내용이 만드는 인연

이 밥으로 우주와 한몸이 됩니다

그리하여 공양입니다

- 수경 「공양」 중에서-

한 사람이 살면서 만들고 따라다니게 되는 수많은 이야기들이 있을 것이다. 세포에서 일하는 물질들이 생명의 이야기를 의식하면서 일하는 것이 아니듯, 대부분의 이야기는 의식하지 못하게 생기고 다시 슬며시 우리 일에 끼어든다. 그것은 습관이나 본능보다도 더 드러나지 않을 수 있다. 가끔 운명이라고 느껴지는 일처럼 무의식적이면서 거시적인 이야기의 시도들이 있다.

그나마 의식할 수 있는 이야기 중에는 인간으로서 또는 어떤 사회의 구성원으로서의 공통점과 관련된 이야기들이 있다. 예를 들면, 어떤 가족, 국가, 언어공동체, 사회제도 같은 모임의 구성원으로서의 규정 같은 것들이 있다. 이런 강제되는 이야기의 힘은 반복되는 교육을 통해서 강화된다.

자연적인 이야기는 외부로부터 초월적으로 부과되는 이야기가 아니라 자체적으로 공유하는 이야기다. 자연스러운 법칙이나 관습은 관련된 일에서부터 생겨나고 관련된 일들이 공유하면서 쓰이게 된다. 만약 이야기가 발생적으로 공유할 수 있는 이야기가 아니라 초월적으로 강요될 때, 그 강요라는 내용도 남아서 관련된 일을 시도하게 될 것이다. 그래서 강요하는 이야기는 결국에 그것에서 벗어나도록 쓰이게 될 내용들을 계속 만들어 간다.

설득하는 이야기의 힘은 강요하는 이야기의 힘보다 당장은 약할 수 있지만, 설득이라는 말에 포함된 일과 이야기들 사이의 어울림과 공감이라는 긍정적인 효과가 남기 때문에, 설득되는 이야기의 힘은 아주 조금씩이라도 강화된다. 강요와 공감은 설령 그것을 지나치거나 잊는다 해도 일의 결과로 남아서 다음을 기약한다.

우리가 구분할 수 있는 내용들 또는 구분하지 못하더라도 발생하는 내용들은 그냥 사라지는 것이 아니라 관련된 다음 일을 시도한다. 그 내용의 쓰임이 변형되고 지연될 수는 있어도 사라지지는 않는다. 그 내용이 널리 퍼질 수 있는 공통적인 내용이라면 공유를 통해 펼쳐져 나갈 것이고, 특수한 내용이라면 그 특수한 관계를 따라다니며 쓰일 것이다.

어떤 일에는 우연한 마주침과 지연되어 시도되는 내용들이 함께 작용할 수 있기 때문에, 그 일과 관련된 모든 요소들을 알아내기는 어렵다. 우리가 믿을 수 있는 것은 가치를 만드는 일을 한다면, 그에 따르는 결과가 바로 드러나면 좋겠지만 그렇지 않더라도 분명히 좋은 인연으로 남아서 함께 일한다는 것이다.

반대로 노력하지 않은 성과에는 그 빚진 내용과 관계가 발생해서 일하기 때문에 마냥 좋아할 수만은 없다. 중독에 의한 기만적인 효과에서도 마찬가지다. 정말 가치 있는 일은 하나를 위해 여럿을 희생시키지 않는다.

“

공양송

수경

이 밥은
숨쉬는 대지와 강물의 핏줄
태양의 자비와 바람의 손길로 빚은
모든 생명의 선물입니다
이 밥으로
땅과 물이 나의 옛 몸이요
불과 바람이 내 본체임을 알겠습니다
이 밥으로
우주와 한몸이 됩니다
그리하여 공양입니다
온 몸 온 마음으로
온 생명을 섬기겠습니다

”

이야기 50. 소동에서 진동으로

음악은 혼돈 속에서 질서를 창출하는 능력이 있다.

- 바이올리니스트 예후디 메뉴인 -

그 옛날 땅이 공처럼 둥글다는 말을 들은 사람들은 그 사실이 좀처럼 믿기지 않았을 것이다. "땅이 공처럼 둥글다면 어디에 기대어 있는 거지?", "땅이 허공에 떠 있다고?" 우리가 믿고 의지하는 이야기의 토대는 그리 탄탄하지 않다. 생각해 보면 이야기의 토대는 원래 빈약한 것이었다. 이야기는 확대해석되기도 쉽고, 전해 들어도 내 것이 될 수 있다.

확고한 기반을 찾아 나선다면 어디까지 가야 할까? 생명은 언제든 죽어 사라질 수 있고, 땅을 이루는 물질은 거의 비어있다고도 할 수 있는 일종의 파동이라 한다. 그럼에도 불구하고 지금 이렇게 땅을 딛고 다니며 살아간다는 것이 놀랍다.

확률적인 파동으로 된 물질이라는 것은 어떤 것인가? 우리 방식 대로 다시 묻는다면, 물질은 어떤 일들로 이루어지고 어떤 일을 하는가? 일은 먼저 있었던 다른 일에서 영향을 받아 일어나고, 앞으로 일어날 다른 일들에 영향을 주며 쓰이게 된다. 그래서 어떤 사건사고처럼 우연히 일어나는 일들은 그 일의 특징을 유지하기보다는 이런저런 소동을 일으키며 사라지기 쉽다. 그런 면에서 반복되는 물질은 기초적인 일이 아니라 특이한 일의 모임이다. 물질은 많은 경우에 수많은 일들을 겪으면서도 자신의 특징을 유지하면서 일한다.

어떤 물질 안에서는 여러 내용들이 같이 일하고 있을 것이다. 만약 A, B, C라는 내용으로 다음 일이 시도되는데 A와 B는 같이 AB라는 결과가 될 수 있는데 AC나 BC라는 결과는 나올 수 없다면, AB는 더 오랫동안 유지되면서 같이 일할 수 있을 것이다. 이 추가된 AB라는 내용도 다음 일에 쓰이기를 시도하기 때문에, A와 B는 AB로 다시 돌아올 가능성이 커지는 것이다.

일의 시도는 지난 결과를 바탕으로 다음 진행을 다양하게 시도하므로 A, B, C라는 각각의 내용은 일의 진행 속에서 다른 내용으로 바뀔 수 있다. 그런데, A와 B는 AB라는 짝으로 같이 일하게 되면서 A, B라는 내용의 특징을 유지하는 동시에 AB라는 새로운 내용을 추가하는 결과를 얻게 된다.

이렇게 AB는 그 특징을 유지하며 같이 다닐 수 있지만 그대로 유지하는 일만 하는 것은 아니다. AB도 지난 결과를 바탕으로 다른 일들과 만나면서 다음 일을 시도한다. 할 수 있는 모든 시도를 다 하기 때문에 A는 A대로, B는 B대로, AB는 AB대로 자리와 내용에서 번져나가면서 다른 일들과 만난다.

이런 시도의 번짐은 오래 가기 어려운데, 새로운 만남의 대부분은 같이 결과를 내기 어려운 내용들이기 때문이다. D와의 만남에서 같이 시도하는 영향은 주고받았지만 같이 결과를 만들지 못한다면 다시 AB로 돌아오고 D는 따로 일을 시도할 것이다. 운동의 변화처럼 D가 AB에 흡수되어 쓰일 수도 있다. 이때 D는 AB를 이동시키는 결과를 만들지만 D라는 내용을 유지하지는 못한다.

결국 AB는 수많은 일의 시도에서 AB라는 결과로 되돌아오는 (진동하는) 물질이라는 일의 모임이 되고, 주위와 상호작용한 소동의 파편들이 번져나가면서 물리적인 장(field)을 형성한다. 확률파동으로서의 물질은 불확실하게 번져나가는 시도이고, 입자로서의 물질은 A, B, AB로 돌아오는 결과다.

A와 B는 서로 어울려서 AB라는 새로운 내용을 확고하게 만드는 일을 한다는 점에서 다양함과 확고함이라는 일의 가치를 함께 실현하고 있다. 이렇게 내용들이 어울린 상태에서는 어울린 효과까지 더해진 상태에서 일할 수 있다. 물론 그 일의 결과는 언제든지 깨질 수 있다는 점에서 위태롭지만, 다음 일을 위한 반복되는 기반이 된다는 점에서 의지할 수밖에 없는 베이스캠프가 된다.

그리고 이런 일들이 반복되면서 비슷한 이야기들을 만들고 공유해서 쓴다면, 물리적인 일들의 관습적인 이야기인 활동하는 법칙들이 형성될 수 있다.

“

끈이론이 아름답게 여겨지는 이유는 음악과 일맥상통하는 부분이 많기 때문이다. 우주는 미시적 규모나 거시적 규모에서 음악과 비슷한 특성을 갖고 있다. 세계적인 바이올리니스트 예후디 메뉴인은 이런 말을 한 적이 있다. “음악은 혼돈 속에서 질서를 창출하는 능력이 있다. 리듬은 다양한 대상에 일치감을 부여하며, 멜로디는 불연속적인 대상에 연속성을 부여한다. 그리고 화성은 판이하게 다른 것들 속에서 화합을 이끌어낸다.”*

”

“

현대의 개념에서 우리가 물질이라고 부르는 동요의 집단은 그 환경과 융합되고 있다. 독립성을 지니고서 따로 떨어진 채 국소적으로 존재한다는 것은 불가능하다. 환경이 사물들 각각의 본성 속에 침투하고 있는 것이다. 동요의 전체 집합에 들어 있는 요소들 가운데 일부는 그들 동요가 변화하는 환경 속으로 전파되어 갈 때에도 여전히 안정성을 유지하면서 머물러 있을 수 있다. 그러나 이와 같은 안정성은 단지 일반적이고 평균적인 측면에서 성립하고 있는 것일 뿐이다. … 사실상 자신의 국소적 위치에 자족적인 것으로 존재하는 독립적인 물질 입자라는 관념은 추상이다.**

”

* 미치오 카쿠, 박병철 옮김, 『평행우주』 316쪽, 김영사, 2006.
** 화이트헤드, 오영환 문창옥 옮김, 『사고의 양태』 271~272쪽, 도서출판 치우, 2012.

이야기 51. 펼쳐진 연결고리

> 우주는 움직이는 거대한 연체동물과도 같아서
> 눌려지고 비틀리고 합니다.
>
> \- 카를로 로벨리 -

결합한 AB가 다시 A와 B로 분리되는 결과가 되더라도, AB라는 내용이 완전히 없어지는 것은 아니다. 가상으로 남은 AB는 각각의 A와 B를 따라다니며 새로운 AB로 결합할 수 있는 가능성을 높이는데 쓰일 수 있다. 소립자들에서는 수많은 A와 B들이 내용에서 일치하기 때문에 AB라는 가상의 내용은 쉽게 공유될 수 있을 것이다.

물리적인 일들의 진행에 대한 전우주적인 이야기(펼쳐진 이야기 또는 활동하는 자연 법칙)는 이런 가상들을 공유하면서 보편적으로 일한다. 빛보다 빠른 우주의 확장 속도 때문에 펼쳐진 이야기는 빅뱅 때부터 하나로 겹쳐진 채 있었다가 펼쳐졌을 것으로 생각된다. 그래서 서로 분리되면서도 법칙의 보편성을 유지할 수 있었던 것이다.

끈적거리는 밀가루 반죽을 만지다가 손가락에 붙은 반죽을 떼려고 다른 손가락을 쓰면, 먼저 붙은 손가락에서는 떼어지더라도 다른 손가락에는 다시 반죽이 붙는 난감한 상태가 된다. 이와 비슷하게 일들의 연결에서 어떤 부분이 결과를 맺고 뚜렷한 자리로 나눠지더라도, 새로 이어진 연결과 여전히 남아 있는 연결들로 인해 모임 속에서 여전히 어떤 자리를 차지하게 된다.

끈적이는 반죽처럼 펼쳐진 이야기는 빛보다 빨리 멀어지는 우주의 연결고리가 될 수 있다. 서로 상호작용할 새도 없었던 멀리 떨어진 우주의 부분들이 연결된 우주라는 성격을 띨 수 있는 이유가 되는 것이다. 이야기가 펼쳐지는 이유는 이야기 스스로의 힘이 아니라, 그와 관련된 일들이 분리된 결과로 나눠지기 때문이다. 분리된 일들은 아직 같이 시도하고 있는 일들이 따라오면서 서로 연결고리가 남게 된다.

공간을 동시에 일어나는 일들의 연결 관계로 보았을 때, 그 관계는 펼쳐진 이야기만으로 연결되는 것은 아니지만, 우주적인 공간의 기초는 펼쳐진 이야기가 담당할 수 있다. 우주가 여전히 엄청난 속도로 확장한다는 것은 펼쳐진 이야기와는 연결되었지만 일들끼리는 분리되는 결과를 계속 만들기 때문이다. 만약 분리되는 결과보다 더 빠르게 결합하는 결과를 만든다면 다시 수축할 수도 있지 않을까.

희미한 이야기는 구체화되어 쓰일 때까지도 그 외부에서 관찰되지 않는다. 빛이 펼쳐진 이야기와 맞닿은 채로 퍼져나가도 그 연결고리로서의 역할은 드러나지 않을 수 있다는 점에서, 한때 빛의 전파 매질로 추정된 물질적인 에테르와는 성질이 다르다.

어떤 일의 자리는 다른 자리들과 이어지면서 세계는 거대한 일들의 연결망을 만든다. 우리 세계의 어떠한 두 자리도 이 연결망 속에 직간접적으로 이어져 있다. 그래서 세계는 일어나는 일들의 모임이 된다. 그것이 여럿이 공존하는 모임이라면 한편으로는 나눠져 있고 한편으로는 이어져 있어야 한다. 존재는 항상 열린 고립이라는 역설적인 상황 속에 있다.

만약 세계라는 연결망을 펼쳐놓고 사다리타기처럼 쭉 이어볼 수 있다고 하면 모든 것이 관계되어 보일 것이다. 그렇다면 열린 고립이라는 역설은 없어진다. 복잡할 수는 있지만 모든 것은 이어져 있기 때문이다. 그러나 새로운 일들이 다시 일어난다는 것은 그런 사다리타기가 불가능하다는 것을 의미한다. 사다리타기놀이에서 하나의 새로운 선이 모두의 연결 관계를 뒤바꾸듯이, 일들은 여기저기서 다시 이어지고 늘어나고 끊어지면서 새로운 관계의 세계를 만든다.

“

존 휠러는 한 세기 동안 물리학 발전의 핵심부에 있었습니다. 그는 뜨거운 상상력의 소유자였습니다. 어떤 것도 빠져나올 수 없는 공간의 영역에 대해 ‘블랙홀’이라는 이름을 붙이고 대중화시킨 사람이 바로 이 사람입니다. … 양자 전자를 다양한 위치들의 구름으로 생각할 수 있는 것처럼, 그는 양자 공간을 중첩된 기하학적 구조들의 구름으로 상상했습니다.

아주 높은 곳에서 바다를 바라보고 있다고 상상해봅시다. 망망대해가 평평한 하늘색 탁자처럼 펼쳐져 있습니다. 이제 조금 아래로 내려가 더 가까이에서 봅시다. 세찬 바람에 큰 파도가 이는 모습이 보입니다. 다시 조금 더 내려가 보면 파도가 부서지고, 바다의 표면이 거품으로 부글거리고 있습니다. 바로 이것이 존 휠러가 상상한 공간의 모습입니다.*

우리는 일반상대성이론 덕분에 공간이 단단하고 고정된 상자 같은 것이 아니라 전자기장처럼 역동적인 것임을 알게 되었습니다. 우리가 들어 있는 우주는 움직이는 거대한 연체동물과도 같아서 눌려지고 비틀리고 합니다. 양자역학은 그러한 모든 장이 양자로 이루어져 있다는 것을, 즉 섬세한 입자 구조를 가지고 있다는 것을 가르쳐 줍니다.**

”

---

* 카를로 로벨리, 김정훈 옮김, 『보이는 세상은 실재가 아니다』 156~157쪽, 쌤앤파커스, 2018.

** 같은 책 167쪽.

이야기 52. 간격의 조정

현존재는 본질적으로 거리를 없애며 존재한다.

- 하이데거 -

고속도로나 고속열차 같은 빠른 이동경로를 통해서 목적지로 갈 때 거리와 간격의 차이를 느끼게 된다. 총 이동 거리에서는 70% 이동했지만 총 소요 시간으로는 30% 이동해 있는 경우처럼, 이동하면서 거쳐야 하는 일들의 간격은 성큼성큼 건너는 부분도 있고 종종거리면서 건너야 하는 부분도 있다. 일들이 이웃하는 일들과 연결되는 간격은 거리와는 확연한 차이가 있다.

인류는 일들의 간격 차이를 좁히는 새로운 방법들을 찾아내 왔다. 인간 이전에 생명체들도 그런 방법들을 찾아왔는데, 그런 간격 조정을 통해 시행착오를 되풀이하지 않고 원하는 일에 도달할 수 있었다. 예를 들어 동물들이 영역 표시를 통해 환경의 간격을 조정한다거나, 기억을 통해서 지난 일과 지금의 일의 간격을 좁히는 것처럼 말이다. 다른 생명체들에서는 그 방법들이 주로 몸을 활용하는 것이었다면, 인간은 주로 몸 바깥에 설치하면서 전수해 왔다는 점이 다르다.

언어는 인간이 간격을 좁히고 바꾸는 대표적인 방법이라고 할 수 있다. 문자가 널리 쓰인 이후에 일들의 간격은 상당히 바뀌었을 것이다. 그리고 그 문자로 쓰인 내용에 따라서도 역시 간격의 변화가 생긴다. 언어는 다른 사람의 생각과 내 생각의 간격 차이를 좁히면서, 동시에 내용들과 이야기들 사이의 간격을 바꾸고, 구체적인 일들과 가상의 이야기들 사이의 간격을 바꾼다.

어떤 것에 관심이 생기면 간격에 변화가 생긴다. 관심이 거듭된다면 간격을 지속적으로 좁혀 놓을 수 있는 통로를 마련할 것이고, 관심이 떠나면 간격은 원래 상태로 되돌아갈 것이다. 우리는 살면서 주로 두 측면에서 간격의 밀고 당기기를 하고 있는데, 하나는 구체적인 일들과의 밀당이고, 다른 하나는 현재의 일과 추상적인 내용 사이의 밀당이다.

이런 간격 조정이 중요한 이유는 삶은 여러 일들의 모임이고 모임은 연결의 간격들 사이에서 이루어지기 때문이다. 간격을 조정하는 것이 곧 삶이자 삶을 바꿔가는 것이다. 미세한 관심과 미세한 조정이 조금씩 쌓이면 전혀 다른 결과를 낳을 수 있다. 어떤 영역에 한 발을 내디디면 그와 관련된 부분들까지도 가까운 간격으로 다가온다. 그래서 관심이 가는 영역으로는 점점 더 가까워지고 관심이 가지 않는 영역에서는 점점 더 멀어지면서 간격은 점점 더 벌어지게 된다. 이렇게 일의 연결 차원들은 수시로 변형된다.

어떤 일에서 접근 가능한 요소들이 많을수록, 관심을 가질 수 있는 요소들도 많아지고 관심의 영향력도 커질 수 있다. 의식은 관심의 연결 거점으로서 기능하고 있다. 많은 정보들의 뚜렷한 종합과 확장 가능한 정보들까지 함께 문제해결에 동원할 수 있는 연결의 거점인 것이다. 언어와 언어로 쓰인 이야기는 의식이라는 거점을 더욱 확장시킨다. 의식이 경험하는 자유는 거점에서 뻗어나갈 수 있는 수많은 갈래 길에서 내딛는 한 걸음의 자유다. 그 자유로움은 과장되었을 수는 있지만 없는 것은 아니다.

일의 다양한 시도에 자유의 싹이 있다. 일이 지난 결과들에 매여서 시작된다고 해도, 다양하게 시도하는 것은 어떻게든 다음 결과를 만들기 위해서이다. 미리 결정된 일은 시도할 이유가 없다. 의식은 수많은 연결의 거점으로서 시도의 자유를 확장한다.

어떤 내용이 일 속에 구체적인 요소로 포함되어 있다면, 그 내용과 추상적으로 가까운 간격의 다른 내용들도 그 일과 가까운 간격에 놓이게 된다. 관심은 구체적으로 주어진 내용이 관련된 내용들로 더 번지도록 자극한다. 뚜렷하게 주어진 것은 연결된 희미하게 주어진 것들을 불러들이는 실마리로서 역할을 하게 되는 것이다. 일에서 내용상의 간격이 좁혀지는 일차적인 방법은 이렇게 내용들의 추상적인 관계를 통해 확장해 가는 것이다.

일이 내용상에서 주어진 영역에서 추상적으로 가까운 영역으로 옮겨가기만 한다면 새로운 발견은 있을지라도, 새로운 발명품이나 예술작품 같은 것은 생기지 못할 것이다. 발명품이나 예술작품에서는 기존에 가깝게 연결시키지 못했던 내용들을 좁혀진 간격 속에 자리 잡게 한다. 일들의 자리 간격을 이용해서 내용들의 정해진 간격을 일 속에서는 다르게 만들 수 있는 것이다. 밥과 쌀의 간격은 자연적으로 가까이 있다. 그러나 밥과 김치, 밥과 김, 밥과 설렁탕의 간격은 자연적으로는 꽤 멀지만 우리에게는 가깝게 느껴진다. 지금도 누군가는 밥과 다른 음식을 새롭게 연결시키는 시도를 하고 있을 것이다.

어울림의 시도는 내용들이 실질적으로 만나는 방식이다. 음식으로 만난 밥과 김치가 자리에서 간격을 좁혔다면, 혀와 코로 느껴진 밥맛과 김치맛은 자리와 내용에서 여럿인 동시에 하나로 어울린다. 맛에서 겹쳐진 간격은 더 이상 밥도 아니고 김치도 아닌 밥+김치의 맛이라는 새로운 내용이 되고 '맛있다'와 같은 효과도 끌어들이게 된다. 일은 간격을 바꿀 뿐만 아니라 간격의 격차를 없애고 직접 만나게 한다. 또한 밥과 김치는 소화되고 영양분으로 흡수되어 몸이라는 모임의 일부가 된다. 몸속에서 영양분들은 다양한 방식으로 만나고 어울리면서 다양한 효과들을 일으킬 것이다.

"밥과 김치를 같이 먹으면 맛있다"와 같은 이야기는 그냥 사라지지 않는다. 이 이야기의 효과가 강렬할수록 밥과 김치는 자주 만들어지고 같이 먹게 될 것이며 항상 가까운 간격에 있으면서 또 다른 효과들을 만들게 된다.

이야기로 형성된 간격은 가상의 간격이지만 그것은 가상으로만 머물지 않는다. 이야기는 희미하지만 구체적인 자리와 내용으로 작동하는 일이다. 그리고 이런 일의 진행이 의식적인 차원에서만 일어나는 것이 아니다. 처음부터 확고했던 내용은 없다. 맛, 색깔, 모양, 음식, 분자, 원자, 소립자 등 모두 일들이 쌓여가면서 확고해진 것으로 그 안에는 가상들의 활동이 포함되어 있다.

“

현존재는 세계내부적으로 만나게 되는 존재자와 배려하며 친숙하게 왕래한다는 의미로 세계 “안에”존재한다. 따라서 현존재에게 어떤 방식으로건 공간성이 귀속된다면, 그것은 오직 이러한 안에-있음에 근거해서만 가능하다. 그런데 이 안에-있음의 공간성은 거리없앰과 방향잡음의 성격을 가지고 있다. … 현존재는 본질적으로 거리를 없애며 존재한다. 그는 그가 무엇인 그 존재로서 그때마다 존재자를 가까이에서 만나도록 해준다.*

현존재가 배려 속에서 어떤 것을 자기 가까이 가져올 경우, 이때 이것은 육체의 어떤 한 지점에서 가장 짧은 간격에 놓여 있는 어떤 한 공간의 위치에 어떤 것을 고정시킴을 의미하는 것이 아니다. 여기에서 ‘가까이에’는 ‘둘러보는 우선 손안에 있는 것의 주변에’를 말한다. 가깝게 만듦은 육체를 가진 ‘나’라는 사물에게로 방향을 잡는 것이 아니라 배려하는 세계-내-존재로, 다시 말해서 이러한 세계-내-존재에서 그때마다 우선 만나게 되는 그것으로 방향을 잡는다. 따라서 현존재의 공간성은 어떤 육체라는 물건이 눈앞에 있는 그 위치를 지시함으로써도 규정되지 않는다.**

”

* 하이데거, 이기상 옮김, 『존재와 시간』 148쪽, 까치글방, 1998.
** 같은 책 151쪽.

이야기 53. 내용과 언어

호모 사피엔스를 이해하는 가장 좋은 방법은

호모 사피엔스를 '이야기하는 동물'로 보는 것이다.

- 유발 하라리 -

감각은 뚜렷한 이야기를 만들지만 그 이야기는 그것을 공유하는 일에서만 전달된다. 어떤 동물이 혼자 특별한 경험을 하거나 위험해 보이는 무언가를 발견하거나 고민스러운 일이 생겼을 때, 그것을 다른 동료들과 공유하는 것은 감각의 이야기로는 해결되지 않는 문제가 된다. 감각의 이야기가 생생하고 기억이 생생해도 그것을 다른 개체에게 전하는 것은 매우 다른 수단이 필요하다.

다른 동물들이 이 문제를 어떻게 얼마만큼 해결하고 있는지, 또는 해결할 잠재력을 얼마나 가지고 있는지를 정확히 알기 어렵지만, 그들이 어제 있었던 이상하고 놀라운 일에 대해서 다른 동료에게 알려주기는 어려워 보인다.

우리는 '먹이'이라는 말의 소리와 모양과 의미를 알고 있다. 인간의 언어에서는 별 관계가 없는 내용들(소리, 모양, 동작, 의미)을 서로 대체할 수 있는 것으로 연결한다. 인간에게 소리나 모양이나 동작은 비교적 다루기 쉽지만 의미는 다루기가 어렵다. 그러나 다른 동물들의 입장에서는 이들 모두가 다루기 어려울 것이다. 대신 동물들은 감각에서 인간보다 더 뛰어난 능력을 보여주는 예가 많다. 그 중에서도 냄새는 직접적인 동시에 간접적인 매체로써 활용도가 높다. '먹이'라는 의미는 냄새를 타고 스며들어 본능적인 이야기를 불러일으키고 실행하게 한다. 간접적인 언어는 약속이 필요하다. 냄새는 먹이를 약속한다. 이 약속은 지난 먹이 섭취라는 일에서 생긴 이야기다.

의미 있는 약속이 이루어지려면 여러 가지가 필요하다. 먼저 냄새, 먹이, 소리, 모양, 색감 같은 약속과 관련된 사항들이 구분되어야 한다. 인류는 자유롭게 약속하는 언어를 만들었지만 이러한 약속의 구분 사항들을 만든 것은 아니다. 결국에 이런 약속의 구분 사항들은 일의 내용들 또는 내용들의 조합이다. 모든 내용들은 다른 내용으로 대체될 수 없는 고유한 성질을 갖고 있다. 이 고유한 성질이 반복되어 나타날 수 있다는 것은 세계의 가장 기초적인 약속한 적 없는 약속이다. 내용은 일에서 그 자체로 표현되고 수용될 수 있기 때문에 미리 약속하지 않고도 소통이 가능한 것이다.

내용의 반복과 확장은 일어나는 일들이 일어났다 헛수고로 사라지지 않고 결과로 쌓이게끔 한다. 약속은 내용을 필요로 하지만 내용은 약속을 필요로 하지 않는다. 일 속의 내용은 기본적으로 기호로 작동하지 약속된 언어로 작동하지 않는다. 일에서 내용은 직접적으로 전해지면서 간접적인 효과를 일으키는 기호가 된다. 약속된 언어 또한 내용의 확장과 새로운 연결로 쌓아온 효과로 인해 작동할 수 있게 된다.

감각이 생명의 이야기를 뚜렷하게 했다면, 언어는 뭐든지 뚜렷하게 한다. 잘 모르는 것도 일단 이름을 붙여서 관심을 끌게 한다. 소리나 모양은 언제든지 더 준비되어 있고, 인간의 언어로 다뤄지지 못할 내용은 없다. 언어의 간접적이고 자유로운 연결은 일들과 내용들 사이의 간격을 뛰어넘을 수 있게 한다.

어제는 다시 오지 않고 내일이 오려면 지구가 더 돌아야 하지만 '어제'와 '내일'이라는 소리는 언제든 말할 수 있다. 시간은 유일한 자리를 만들며 흘러가지만 '시간'이라는 말은 그 모든 시간들을 대신하기도 한다. 한 번도 만난 적이 없는 신이 '신'의 이름으로 세상을 지배하기도 하고, 허구의 수 i가 물리학의 함수 속에 포함되어 물리 세계의 규칙을 설명하는 요소가 되기도 한다.

언어에서 간격의 인위적인 변화와 고정은 비약과 오류를 낳지만, 일의 진행에서 발생하는 새로운 효과들은 정확한 전달이라는 기준으로 보자면 오류투성이가 된다. 인간의 언어가 자꾸 어긋나는 것은 그 언어로 연결하고자 하는 것들의 간격이 넓기 때문이다. 언어 그 자체는 편리한 연결 도구이지 정확한 내용의 정보는 아니다. 언어의 정확성은 반복되는 활용을 통해 만들어진 관습의 효과다.

"

『사피엔스』를 펴낸 이래 인류 역사에 많은 정보가 더해졌고 새로운 전환이 이루어졌다. 하지만 책에서 언급했던 요점은 전혀 바뀌지 않았다. 즉 호모 사피엔스를 이해하는 가장 좋은 방법은 호모 사피엔스를 '이야기하는 동물 storytelling animal'로 보는 것이라는 점이다. 인간은 신과 국가와 기업에 대한 허구의 이야기를 만들어내며, 이러한 이야기들은 우리 사회의 근간이자 삶에 의미를 주는 원천이 된다. 그 이야기를 위해 우리는 기꺼이 누군가를 죽이거나 또는 죽임을 당한다. … 정말로 우리가 인류 역사를 이해하길 원한다면 허구적인 이야기들을 진지하게 받아들여야 한다는 게 내 주장이다. 그저 경제나 인구통계학적인 요소만 들여다본다고 되는 게 아니다.*

우리 언어의 진정한 특이성은 … 전혀 존재하지 않는 것에 대한 정보를 전달하는 능력에 있다. 지금까지 우리가 아는 한, 직접 보거나 만지거나 냄새 맡지 못한 것에 대해 마음껏 이야기할 수 있는 존재는 사피엔스뿐이다.**

"

* 유발 하라리, 조현욱 옮김, 『사피엔스』 14~16쪽 '출간 10주년 기념 특별 서문' 중에서, 김영사, 2023.
** 같은 책 60쪽.

이야기 54. 언어의 덫

철학은 추상 관념의 비판자다.

- 화이트헤드 -

영화《메멘토》에는 계속 사라지는 기억을 필사적으로 붙잡으려는 주인공이 나온다. 그는 잠에서 깨어 의식을 찾지만 그가 아는 현실 속에는 최근의 과거가 사라져 있다. 그래서 그는 비어 있는 기억을 채우기 위해 몸과 사진과 메모지에 악착같이 찾아낸 중요한 정보를 적어놓고 다시 깨면 중요한 사건들을 위주로 이야기를 재구성한다.

그러나 비어 있는 부분을 단편적인 정보들로 빠른 시간 내에 재구성하는 데에는 한계가 있고, 주변 인물들은 그런 주인공의 허점을 이용한다. 그는 자신이 누구이고 어떤 일을 겪었고 어떤 일을 해야 할지 몰라 괴로워하면서도 확고한 신념에 따라 살고자 한다.

의식이 있기 위해 예전의 기억이 꼭 필요한 것은 아니다. 의식에서는 지나간 중요한 일보다는 가까운 사소한 일들에 대한 인식이 더 중요하다. 그래서 흔히 의식을 잃었다고 판단할 때는 주위 상황이나 자신의 현재 상태에 대해 인식하지 못할 때를 말한다.

의식은 생존을 위해 필요한 동물의 대비 상태다. 위험한 상황을 미리 알고 피하기 위해서는 여러 정보들과 그에 맞는 대응이 필요하다. 의식에서 핵심적인 문제는 간접적으로 일들의 간격을 좁히는 방법을 찾는 것이다. 의식은 간접적인 내용을 변환한 직접적인 내용들의 연결로 구성되어 있다. 압축된 언어를 통해 더 넓은 간격의 일들을 이어진 이야기 속에 담은 것이다. 의식은 삶과 비교적 가까운 거시적인 일들의 이야기를 실시간으로 엮은 것이다.

《메멘토》의 주인공은 동물적인 생존을 위한 이야기에는 문제가 없지만, 사회적 삶을 위한 이야기의 한 쪽이 커다랗게 지워져 있다. 그 지워진 부분을 채우기 위해 단편적인 언어들을 모으지만, 무리하게 이어진 이야기들은 오히려 삶을 더 혼란스럽게 만든다.

인간은 효율적인 언어 덕분에 매우 넓은 이야기 속에서 살아간다. 《메멘토》의 주인공처럼 우리도 삶과 세계의 이야기에서 비어 있는 부분을 채우기 위해 언어들을 모으고 기록하고 재구성하기 위해 애쓴다. 그러나 그 이야기가 삶을 더 혼란스럽게 만들지 않기 위해서는 넓은 간격을 실제로 채우면서 일어나고 있는 알려지지 않은 일들이 많다는 것을 잊어서는 안 된다.

이 점은 특히 철학, 종교, 과학, 사상, 욕망, 집착, 법칙, 신념 같이 삶을 지배하기 쉬운 이야기에 대한 경고가 된다. 언어와 이야기는 삶을 위해 효율적으로 쓰일 수도 있고, 삶을 파괴하는데 효율적으로 쓰일 수도 있다.

"세계는 일어나는 일들의 모임이다. 우리는 일이 진행되는 이야기를 모아서 엮고 있다."

"생명체는 일을 흘려보내지 않고 이야기로 엮어서 활용하는 일의 모임이다."

앞에서 우리는 일과 이야기, 생명과 이야기 사이의 밀접한 관계에 대해 말해 왔다. 인간의 언어는 이야기를 드러내고 넓게 연결할 수 있게 했지만, 이야기는 언어로만 되어 있는 것이 아니다. 말 없는 이야기는 평소에는 희미하게 감춰져 있지만, 필요한 순간에 그 역할을 지혜롭게 발휘한다.

언어는 희미한 이야기를 뚜렷하게 드러냄으로써 추상적인 이야기 세계를 더 밝게 비춘다. 그러나 그 밝은 조명으로 인해 오히려 더 어둡게 감춰지게 되는 영역이 생기게 된다. 우리는 언어로 엮은 세계의 이야기를 끊임없이 재검토함으로써, 언어와 이야기가 삶을 파괴하지 않고 삶을 위해 쓰이도록 주의해야 한다.

물론 이점에서 지금까지 조각난 이야기 퍼즐들을 맞춰온 우리의 구상도 예외가 되지 않는다. 우리의 구상에는 많은 비약들이 있었고, 그 이야기에 안주한다면 습관적인 비약으로 작동할 것이다. 하지만 철학에는 그런 위험들과 함께, 위험을 감수하며 얻을 수 있는 효과들이 있다.

인간은 매우 추상적인 이야기들을 만들고 활용하면서 살아간다. 그것은 거부하려고 해도 우리가 가진 능력과 문화 때문에 피할 수 없이 따라다니며 활동한다. 철학은 다양한 영역에서 수집된 추상적인 이야기들을 서로 엮으며 비판적으로 다시 검토함으로써, 편협한 이야기의 한계와 오류를 극복할 수 있는 길을 제시할 수 있다. 철학은 말을 통해 말 없는 이야기들에 귀기울여야 한다.

"

아무리 확고한 토대를 가진 것들이라 해도, 오로지 일군의 추상 관념에만 주목하게 될 때, 그러한 시도의 본성상 우리는 나머지의 모든 것을 사상하게 된다는 단점이 있다. 그러므로 제외되어 버린 것들이 우리의 경험에 있어 중요한 것인 한, 이러한 사고 방식은 그러한 것들을 다루기에는 부적절하다고 하겠다. 물론 우리는 추상 관념 없이는 사고할 수 없다. 따라서 추상의 여러 방식을 비판적으로 수정할 때 조심하는 것이 매우 중요하다. 바로 여기서 철학은 사회의 건전한 진보에 불가결한 것으로서의 그 지위를 확보하게 된다. 즉 철학은 추상 관념의 비판자인 것이다. 당대의 추상 관념을 극복하지 못하는 문명은 지극히 짧은 진보의 시기를 보낸 후 불모의 것으로 그 운명을 다하고 마는 법이다.*

"

"

특정한 질서 개념을 고착시킬 때, 그 틀에 들어맞지 않는 영역들은 '무질서'로 표상된다. 그러나 질서에 대한 독단적 이미지를 걷어내고 볼 때, 많은 경우 이 영역들은 단지 다른 질서를 내포하고 있을 뿐이다. … 중요한 것은 이러한 일치가 이루어지지 않을 때, 대상을 무질서로 간주할 수도 있고 그 대상을 포용할 수 있는 방식으로 우리의 정신을 넓힐 수도 있다는 점이다.**

"

* 화이트헤드, 오영환 옮김, 『과학과 근대세계』 95~96쪽, 서광사, 1989.
** 이정우, 『세계철학사 4: 탈근대 사유의 지평들』 223쪽, 길, 2024.

이야기 55. 가벼운 리듬으로

걱정을 해서 걱정이 없어지면 걱정이 없겠네.

- 티벳 속담 -

뒤엉킨 일들의 실타래를 풀어보려 하지만 일은 더 꼬여갈 때, 잠시 한 걸음 물러나 몸과 마음을 환기시킬 필요가 있다. 단순한 일의 진행에도 다양한 내용들이 다양한 리듬으로 뒤엉켜 일어난다. 정신은 연결될 수 있는 다양한 내용들의 거점으로 기능할 수 있을 때 그 능력을 발휘한다. 특정 내용에 대한 지나친 관심과 강조는 정신의 능력을 약화시키거나 역효과를 불러올 수 있는데, 그런 상태를 집착이라고 할 수 있겠다.

강요하는 이야기가 외부에서 나에게 주입되는 것만은 아니다. 어제나 내일의 내가 오늘의 나에게 강요할 수도 있고, 내 마음이나 욕심이 내 몸에게 강요할 수도 있다. 추상적인 언어를 활용하면서 정신의 능력이 커질수록, 삶의 리듬을 깨뜨리고 특정 이야기에 집착하거나 강요할 가능성도 커지게 된다.

진정으로 지혜로운 이야기가 일에 끼어드는 리듬은 생명의 기초적인 리듬과 따로 놀지 않는다. 의식하는 일은 지난 의식의 활동과 함께 몸과 무의식의 많은 요소들이 어울린 공동작업이다. 이야기가 쌓이다보면 비슷한 상황에 대한 다양한 관점에서 본 이야기들이 함께 겹쳐지게 된다. 지혜로운 이야기는 특정 관점의 이야기에 집착하지 않고, 여러 관점의 이야기에 귀기울일 때 자연스럽게 떠오르기 쉽다.

다양한 일의 리듬이 서로를 방해하며 뒤엉킬 수도 있고, 복잡하면서도 흥겨운 리듬으로 어울리며 뒤엉킬 수도 있다. 과거와 현재와 미래, 여기와 저기, 나와 환경, 타인과 우리, 몸과 마음, 현실과 가상 같은 수많은 요소들이 가깝게 닿아 있으면서도 가벼운 리듬으로 같이 일할 때 삶의 지혜가 발휘된다.

놀이는 일의 리듬을 회복시킨다. 놀이는 가볍고 흥겨운 리듬 속에서 일과 이야기의 활용 방법을 익히게 한다. 놀이에서는 일과 이야기가 주고받는 생생하고 흥미로운 어긋남과 어울림이 교차한다. 예측과 결과 사이에서 호기심과 미묘한 긴장이 생기면서. 어긋남과 어울림은 함께 일을 엉뚱하고 다채롭게 만든다.

예술은 평범한 일들에 숨어 있는 효과들을 생생한 현실이 되게 한다. 하나의 선, 하나의 색, 하나의 소리, 하나의 동작, 하나의 단어 같은 단순한 내용들은 예술적인 만남을 통해 새로운 의미와 가치를 불러오는 요소가 된다. 예술을 통해 일에 내재된 가치가 정말 있는 것인지, 일이 지향하는 진정한 가치가 어떤 것인지를 잠시나마 생생하게 느낄 수 있다.

리듬을 타는 놀이와 가치를 찾는 예술에서 일과 이야기의 협력을 즐겁게 배운다. 건강한 지혜와 이상은 가벼운 리듬과 소소한 가치로부터 발생하고 이와 더불어 일한다.

“

아이는 중병에서 회복되는 아이들 대부분이 그러는 것처럼, 외부 자극에 그리 큰 반응을 보이지 않았다. 그런데 내가 어느 날 아침에 회진을 하러 아이의 병실에 들어가며 “안녕, 이반!” 하고 인사를 건네자 아이가 나를 보며 환한 미소를 짓고는 나한테 팔을 뻗었다. 아이의 미소는 그의 삶에 즐거움이 돌아왔다는 것을 알리는 신호이자, 그 기분을 자신과 함께 느끼자는 요청이었다. 나는 미소로 화답하고는 아이의 손을 잡았다. …

아이의 몸 상태가 정상으로 복귀했음을 보여준 최초의 표식은 혈당이나 심박수, 혈압, 혈액전해질 수치, 세포계수, 그 외의 다른 25가지 ‘객관적’ 징후 중 하나가 아니었다. 아이에게 제일 먼저 돌아온 것은 미소였다. 그 미소는 몸이 편치 않은 상태를 벗어나면서 느낀 안도감을 드러내는 표시가 아니라, 놀이 신호였다. 다른 사람을 향해 미소를 지으며 두 팔을 뻗는 사람은, 개가 꼬리를 흔들며 몸을 수그리는 동작만큼이나 명확한, 같이 놀자는 신호를 보내고 있는 것이다. 이반이 건강을 되찾고 있다는 것을 보여준 최초의 시각적 징후는 같이 놀자는 요청이었다.*

”

* 스튜어트 브라운, 윤철희 옮김, 『놀이, 즐거움의 발견』 44~45쪽, 연암서가, 2021.

참고 문헌

강인욱, 『강인욱의 고고학 여행』 | 흐름출판, 2019.

고쿠분 고이치로, 박철은 옮김 『고쿠분 고이치로의 들뢰즈 제대로 읽기』 | 동아시아, 2015.

권오민, 『인도철학과 불교』 | 민족사, 2004.

D. 그로서, F. 슐츠 그림, 추미란 옮김, 『우리가 알고 싶은 삶의 모든 답 은 한 마리 개 안에 있다』 | 불광출판사, 2021.

『기학의 모험 1, 2』 김시천 외 | 들녘, 2004.

김상욱, 『하늘과 바람과 별과 인간』 | 바다출판사, 2023.

『김상욱의 양자 공부』 | 시이언스북스, 2017.

김소연, 『마음사전』 | 마음산책, 2008.

김순일, 『두 그루의 가시나무』 | 지혜, 2019.

김이나 작사, Harris 작곡, 온유 노래, 「O(Circle)」 | SM, 2023

김재인, 『인공지능의 시대, 인간을 다시 묻다』 | 동아시아, 2017.

김주환, 『회복탄력성』 | 위즈덤하우스, 2019.

김창기 작사 작곡, 동물원 3집 「나는 나 너는 너」 | 예음, 1990.

김화영, 『여름의 묘약』 | 문학동네, 2013.

D. 노블, 이정모 · 염재범 옮김, 『생명의 음악』 | 열린과학, 2009.

노자, 『도덕경』

니체, 장희창 옮김, 『짜라투스트라는 이렇게 말했다』 | 민음사, 2004.

A. 다마지오, 임지원 옮김, 『스피노자의 뇌』 | 사이언스북스, 2007.

데카르트, 이현복 옮김, 『방법서설』 | 문예출판사, 2022.
R. 도킨스, 홍영남 · 이상임 옮김 『이기적 유전자』 | 을유문화사, 2018.
들뢰즈, 김상환 옮김, 『차이와 반복』 | 민음사, 2004.
이정우 옮김, 『의미의 논리』 | 한길사, 1999.
들뢰즈 · 가타리, 김재인 옮김, 『안티 오이디푸스』 | 민음사, 2014.
김재인 옮김, 『천 개의 고원』 | 새물결, 2001.
라이프니츠, 배선복 옮김, 『모나드론 외』 | 책세상, 2019.
C. 로벨리, 김정훈 옮김, 『보이는 세상은 실재가 아니다』 | 쌤앤파커스, 2018.
S. 로이드, 오상철 옮김, 『프로그래밍 유니버스』 | 지호, 2007.
L. 리오니, 최순희 옮김, 『프레드릭』 | 시공주니어, 1999.
L. 마굴리스 ·D. 세이건, 김영 옮김, 『생명이란 무엇인가』 | 리수, 2016.
J. 모노, 조현수 옮김, 『우연과 필연』 | 궁리, 2010.
D. 무어, 정지인 옮김, 『경험은 어떻게 유전자에 새겨지는가』 | 아몬드, 2023.
문정희, 『지금 장미를 따라』 | 민음사, 2016.
문창옥, 『화이트헤드 과정철학의 이해』 | 통나무, 1999.
『화이트헤드철학의 모험』 | 통나무, 2002.
미치오 카쿠, 박병철 옮김, 『평행우주』 | 김영사, 2006.
박병철, 『비트겐슈타인 철학으로의 초대』 | 필로소픽, 2014.
박진, 「서사와 삶: 이야기하기의 실존적 의미」, 논문집 『이야기의 끈』 | 이학사, 2021.
박찬국, 『하이데거의 존재와 시간 강독』 | 그린비, 2014.
박태원, 『원효의 금강삼매경론 읽기』 | 세창미디어, 2014.
『반야심경』

V. 베드럴, 손원민 옮김, 『물리법칙의 발견』 | 모티브북, 2011.
베르그손, 최화 옮김, 『의식에 직접 주어진 것들에 관한 시론』 | 아카넷, 2001.
H. 베이어, 전대호 옮김, 『과학의 새로운 언어, 정보』 | 승산, 2007.
보르헤스, 송병선 옮김, 단편소설 모음 『픽션들』 | 민음사, 2011.
S. 브라운, 윤철희 옮김, 『놀이, 즐거움의 발견』 | 연암서가, 2021.
비트겐슈타인, 이영철 옮김, 『논리철학논고』 | 책세상, 2020.
이승종 옮김, 『철학적 탐구』 | 아카넷, 2016.
생텍쥐페리, 박소연 옮김, 『어린왕자』 | 달리 출판사, 2021.
S. 샤비로, 이문교 옮김, 『기준 없이 - 칸트, 화이트헤드, 들뢰즈, 그리고 미학』 | 갈무리, 2024.
서동욱, 『들뢰즈의 철학』 | 민음사, 2002..
성철, 『산은 산이요 물은 물이로다』 | 상경각, 2016.
소광섭, 「보어의 상보성 원리」, 『과학사상』 18호, 범양사, 1996, 가을.
『속전등록』, 거정 엮음.
L. 스몰린, 강형구 옮김, 『리 스몰린의 시간의 물리학』 | 김영사, 2022.
스피노자, 강영계 옮김, 『에티카』 | 서광사, 2007.
아우구스티누스, 박문재 옮김, 『고백록』 | CH북스(크리스천다이제스트), 2016.
R. 액설로드, 이경식 옮김, 『협력의 진화』 | 시스테마, 2009.
『요한복음』
E. 용, 양병찬 옮김, 『이토록 굉장한 세계』 | 어크로스, 2023.
원효, 『금강삼매경론』
D. 이글먼, 김승욱 옮김, 『우리는 각자의 세계가 된다』 | RHK, 2022.
이민용, 「내러티브를 통해 본 정신분석학과 내러티브 치료」, 『문학치료연구』 25

권, 한국문학치료학회, 2012.

이수영, 『실천이성비판 강의』 | 북튜브, 2021.

이숲오, 『꿈꾸는 낭송 공작소』 | 문학수첩, 2023.

『성우의 언어』 | 시간의 물레, 2021.

이육사, 『이육사 시집』 | 범우사, 2019.

이정우, 『세계철학사 1: 지중해세계의 철학』 | 길, 2018.

『세계철학사 2: 아시아세계의 철학』 | 길, 2018.

『세계철학사 3: 근대성의 카르토그라피』 | 길, 2021.

『세계철학사 4: 탈근대 사유의 지평들』 | 길, 2024.

이찬웅, 『들뢰즈, 괴물의 사유』 | 이학사, 2020.

『잡아함경』

장자, 김학주 옮김, 『장자』 | 연암서가, 2010.

정강길, 『화이트헤드 철학에 입문합니다』 1, 2 | 몸학연구소, 2019.

정세근, 『노장철학과 현대사상』 | 예문서원, 2018.

정재숙 편, 노석미 그림, 『나를 흔든 시 한 줄』 | 중앙북스, 2015.

정현종, 『섬』 | 문학판, 2015.

정호승, 『내가 사랑하는 사람』 | 비채, 2021.

『주역』, 신원봉 옮김 | 올재, 2019.

지바 마사야, 김상운 옮김, 『너무 움직이지 마라 (질 들뢰즈와 생성 변화의 철학)』 | 바다출판사, 2017.

A. 차일링거, 전대호 옮김, 『아인슈타인의 베일』 | 승산, 2007.

최무영, 『최무영 교수의 물리학 강의』 | 책갈피, 2019.

최진석, 『나 홀로 읽는 도덕경』 | 시공사, 2021.

최진석,『생각하는 힘, 노자 인문학』| 위즈덤하우스, 2015.

칸트, 백종현 옮김,『순수이성비판』1, 2 | 아카넷, 2006.

백종현 옮김,『실천이성비판』| 아카넷, 2019.

M. 쿠마르, 이덕환 옮김,『양자 혁명: 양자물리학 100년사』| 까치, 2014.

R. 탈러 · C. 선스타인, 이경식 옮김,『넛지: 파이널 에디션』| 리더스북, 2022.

파인만, 박병철 옮김,『일반인을 위한 파인만의 QED 강의』| 승산, 2001.

R.C. 프랜시스, 김명남 옮김,『쉽게 쓴 후성유전학』| 시공사, 2013.

Y. 하라리, 조현욱 옮김, 『사피엔스』| 김영사, 2023.

하이데거, 이기상 옮김,『존재와 시간』| 까치글방, 1998.

한자경,『마음은 어떻게 세계를 만드는가』| 김영사, 2021.

D. 호프스태터 · E. 상데, 김태훈 옮김,『사고의 본질 - 유추, 지성의 연료와 불길』| 아르테, 2017.

하버마스, 윤형식 옮김,『진리와 정당화』| 나남, 2008.

하이젠베르크, 유영미 옮김,『부분과 전체』| 서커스, 2020.

한국화이트헤드학회,『화이트헤드와 함께』| 몸학연구소, 2021.

화이트헤드, 오영환 옮김,『과학과 근대세계』| 서광사, 1989.

오영환 옮김,『과정과 실재』| 민음사, 1991.

오영환 옮김,『관념의 모험』| 한길사, 1997.

오영환 · 문창옥 옮김,『사고의 양태』| 도서출판 치우, 2012.

「Autobiographical Notes」

화이트헤드, 김용옥 옮기고 해설,『이성의 기능』| 통나무, 2021.

황수영,『베르그손, 지속과 생명의 형이상학』| 이룸, 2003.

『황제내경 소문』

본문 삽화 그림 | 정선희

표지 배경 그림 | pixabay 크리에이터 Alexandra Koch

글씨체 | 제주명조체, 카페24고운밤체, 롯데마트드림체, 엘리스디지털배움체, 나눔명조체, kopub바탕체, kopub돋움체, 고운바탕체, 부크크명조체, 부크크고딕체

일어나는 이야기

생성과 정보의 철학

발 행 | 2024년 6월 24일
저 자 | 김광현
펴낸이 | 한건희
펴낸곳 | 주식회사 부크크
출판사등록 | 2014.07.15(제2014-16호)
주 소 | 서울특별시 금천구 가산디지털1로 119 SK트윈타워 A동 305호
전 화 | 1670-8316
이메일 | info@bookk.co.kr

ISBN | 979-11-410-9058-6

www.bookk.co.kr